Schlehweins Giraffe

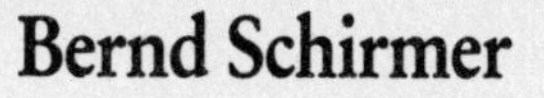

Bernd Schirmer

SCHLEHWEINS GIRAFFE

Roman

Eichborn Verlag

Die Deutsche Bibliothek – CIP-Einheitsaufnahme
Schirmer, Bernd:
Schlehweins Giraffe : Roman / Bernd Schirmer. –
Frankfurt am Main : Eichborn, 1992
ISBN 3-8218-0275-8

Umschlaggestaltung: Rüdiger Morgenweck.
Satz: Fuldaer Verlagsanstalt GmbH.
Druck und Bindung: Wiener Verlag, Himberg.
ISBN 3-8218-0275-8.
Verlagsverzeichnis schickt gern:
Eichborn Verlag, Hanauer Landstraße 175, D-6000 Frankfurt 1

I

SIE WILL ALLES VON MIR WISSEN. Warum ich den ganzen Tag zu Hause sitze. Ob ich schon einmal in Afrika war. Warum ich nicht verheiratet bin. Was ich am liebsten esse. Welchen Beruf ich gelernt habe. Ob ich auch so gerne Haferflocken esse.

Nein, habe ich gesagt, Haferflocken sind mir ein Greuel. Aber sie hat immer wieder gefragt, ob ich gern Haferflocken esse. Bis mir der Geduldsfaden gerissen ist. Da bin ich zum Supermarkt gegangen und habe eine Fünf-Kilo-Tüte gekauft. Sie war entzückt, soweit ich das beurteilen kann. Ich fragte sie, ob sie die Haferflocken so essen wolle oder mit Milch. Es war ihr gleichgültig. Hauptsache Haferflocken. Sie schmatzte genüßlich.

Manchmal ist sie ziemlich ordinär, was ich auf den Einfluß der Wärter zurückführe, und bei Carl-Ernst Schlehwein, der ein belesener Mensch ist, war sie ja nur ein paar Monate; es muß die glücklichste Zeit ihres Lebens gewesen sein. Ihr Wortschatz ist gering, sie stottert gelegentlich, und beim Sprechen spuckt sie. Besondere Schwierigkeiten hat sie bei Fremdwörtern. Zum Beispiel kann sie das Wort Kolonialismus nicht richtig aussprechen. Sie sagt immer Konolialismus. Sie setzt mehrmals an und sagt Ko, dann spuckt sie und sagt Ko-ko-ko. Und dann kommt doch nur ein klägliches Konolialismus heraus. Lesen kann sie nicht. Aber dafür sieht sie gern fern, vor allem wenn etwas über Afrika kommt. Dann stelle ich ihr den Fernseher auf den Schrank. Sie sieht am liebsten im Stehen fern. Andächtig schaut sie auf den Bildschirm und ist ganz still. Ich bin dann immer froh, ich habe meine Ruhe und kann schreiben. Aber ich will mich nicht beklagen. Eigentlich verstehen wir uns gut.

II

ALS CARL-ERNST SCHLEHWEIN MIT DER GIRAFFE ANKAM, DACHTE ICH: Auch das noch. Mir stand weiß Gott das Wasser schon bis zum Halse, vor allem seit Kristina mich zum drittenmal endgültig verlassen hat. Andererseits, wer hat schon so eine hohe Parterrewohnung wie ich, da muß ich Schlehwein rechtgeben, sie ist wie geschaffen für Giraffen. Die Zimmer sind so hoch, daß mich Kristina immer dazu verleiten wollte, die Wohnung zweigeschossig einzurichten, im Maisonette-Stil, wie sie es nannte. Wenn ich mich darauf eingelassen hätte, wäre womöglich alles anders gekommen. Kristina wäre vielleicht noch hier, und Schlehwein hätte die Giraffe bei Hasselblatts oder Bröckles einquartieren müssen. Dabei, er meinte es gut. Er redete mir ein, es sei eine Abwechslung für mich, da mir sonst womöglich die Decke auf den Kopf fallen würde.

Alle meinen es gut mit mir. Als damals der blaue Brief kam, waren meine Freunde zwei Tage und zwei Nächte auf der Suche nach mir. Sie wollten mir Mut zusprechen, denn sie hatten alle ihre blauen Briefe schon erhalten. Sie dachten, ich sei in die Spree gesprungen. Wie ich später erfuhr, hatten sie sogar im Leichenschauhaus nachgefragt. Ich lag aber weder im Leichenschauhaus noch in der Spree. Ich bin einfach nach Kopenhagen gefahren. Das ist das Schöne, man kann jetzt einfach nach Kopenhagen fahren, die Revolution hat sich gelohnt. Leider regnete es die ganze Zeit. Ich setzte mich in eine Kneipe und trank ein Tuborg-Bier. Als ich wieder ins Freie trat, regnete es noch stärker. Da bin ich in eine andere Kneipe gegangen und habe noch fünf Tuborg-Bier getrunken und habe an Kristina gedacht. Dann bin ich zurückgefahren. Das war Kopenhagen. Eigentlich hätte ich auch zu Hause bleiben können. Auf der Überfahrt stand ich an der Reling und fluchte leise vor mich hin. Daß ich die Arbeit verloren hatte, störte mich nicht so sehr, denn Arbeit an sich ist eine ziemlich lästige Sache, und ich kann auch nicht behaupten, daß meine Tätigkeit sehr erbaulich war. Nein, ich habe meine Arbeit nicht eben geliebt wie Hasselblatt oder Bröckle die ihrige, aber sie war zumindest nützlich, und ich habe einen gewissen Sinn darin gesehen, auch wenn Kristina der Meinung war, ich sei geistig total unterfordert, was ich keineswegs so sehe. Von Onkel Alfreds abfälligen Bemerkungen will ich gar nicht erst reden, er weiß sowieso alles besser. Das rechnet sich nicht, sagte er immer. Er konnte nicht verstehen, daß wir die leeren Flaschen und Gläser nicht einfach in den Container werfen, sondern sie aufkaufen in unseren Sammelstellen, für fünf oder zehn Pfennig das Stück, und daß wir auch noch für gebündeltes Zeitungspapier Geld bezahlen an die Rentner, die alles herankarren auf ihren Handwägelchen. Das steht keine Wirtschaft durch, sagte Onkel Alfred, das rechnet sich nicht. Doch das führt jetzt zu weit, und außerdem ist es sowieso vorbei, die letzten Sammelstellen sind geschlossen, und ich stand, von Dänemark herüberkommend, an der Reling und dachte, sie werden es büßen, sie werden ersticken im eigenen Müll, und es geschieht ihnen recht. Aber vielleicht habe ich nur in den dunklen Himmel gestarrt, und wenn ich doch etwas gedacht habe, dann vielleicht nur: das wenigstens hätten sie lassen können, das war nun wirklich eine Errungenschaft, aber sie wollen nicht, daß wir überhaupt eine Errungenschaft gehabt haben, das denke ich auch jetzt manchmal noch. Es war bitterkalt auf der Fähre, und ich war die Arbeit los und das geregelte, sichere Einkommen, mit dem ich uns immer leidlich über Wasser gehalten hatte. Und Kristina war ich auch los, woran Onkel Alfred sicher auch einen gewissen Anteil hat, denn er hat immer gegen mich gehetzt. Aber dafür habe ich jetzt die Giraffe, ich bin nicht allein, und eine Giraffe ist natürlich durchaus eine Aufgabe, die einen ausfüllen kann, da hat Carl-Ernst Schlehwein recht.

Es fing alles ganz harmlos an. Wir hatten uns alle automatische Anrufbeantworter gekauft, Bröckles, Hasselblatts und sogar Schlehwein, obwohl er kein Freund technischer Neuerungen ist. Das ist das Schöne, wir können jetzt alle, wann immer uns danach zumute ist, nicht nur mit der Fähre nach Dänemark fahren, wir können uns auch kaufen, was wir wollen, solange das Geld reicht. Die automatischen Anrufbeantworter waren unsere ersten Anschaffungen von dem fremden, neuartigen Geld, denn wir alle hofften, es würde wichtige, existenzsichernde Mitteilungen geben, wenn wir außer Haus gingen, überraschende Angebote, unaufschiebbare Nachrichten. Es gab sie nicht. Wir fragten immer nur gegenseitig an, wie es geht und steht. Es stand schlecht, erfuhren wir über Band voneinander. Wir sprachen kaum noch miteinander. Nur unsere Stimmen sprachen noch. Gegenseitig baten wir uns, zurückzurufen, und wenn einer zurückrief, meldete sich der automatische Anrufbeantworter, dem schließlich mitgeteilt wurde, daß sein Besitzer bitte zurückrufen möchte. So war es auch mit Carl-Ernst Schlehwein, der einsam im Oderbruch lebte.

Du mußt mir helfen, sagte er, als ich heimkam und das Band abhörte, ruf bitte zurück.

Ich hatte ihm immer geholfen, auch damals, als sie ihn verhafteten nach seiner Ausstellung. Ich hatte damals seine anderen Bilder versteckt. Ich rief zurück, aber es meldete sich nur der automatische Anrufbeantworter, und ich bat, zurückzurufen, weil ich wissen wollte, worum es sich handelt. Er müsse dringend weg, ließ mir Schlehwein über Band ausrichten, und ob ich wohl wieder einmal ein Tier in Pflege nehmen könne.

Aber ja, sagte ich, bring es nur. Denn ich dachte, es handele sich um Hubert, den Goldhamster.

Nein, nein, es ist nicht Hubert, sagte er, Hubert ist tot, Hubert ist gleich nach der Wende gestorben, weißt du das denn nicht. Es ist eine Giraffe, aber sie ist sehr nett, wirklich, du wirst viel Freude mit ihr haben.

Ich dachte, es sei wieder einer seiner albernen Scherze, aber ich konnte ihn nicht unterbrechen, denn er hatte auf Band gesprochen. Und als ich zurückrief, meldete sich der automatische Anrufbeantworter vom Plumpsklo, ich roch es förmlich. Ich sprach auf Band.

Bring sie, sagte ich, bring sie in drei Teufels Namen. Wie leichtsinnig von mir. Es war wirklich eine Giraffe.

III

CARL-ERNST SCHLEHWEIN HATTE DAS TIER AUS DEM ZOO. Er hatte gehört, der Zoo solle abgewickelt werden, denn es gebe genügend Zoologische Gärten in der Gegend, und dieser, obwohl er gern besucht wurde, rechne sich nicht, hieß es. Die Tiere und die Wärter könnten von den kärglichen Einkünften nicht mehr ernährt werden, und weder Bund noch Länder könnten aufkommen. So wurden einige Tiere an andere Tiere verfüttert, selbst Löwen und Tiger, wenn sie ausreichend hinfällig waren. Die rüstigeren Exemplare wurden, nachdem die Treuhand eingeschritten war, in andere Zoologische Gärten überführt. Um einigen Tieren die Ausreise in ihre afrikanischen und asiatischen Heimatländer zu ermöglichen, sammelten die Wärter Geld, doch sie scheiterten zumeist an den Hygienebestimmungen und an den Zollformalitäten.

Schlehwein war mit seinem Zeichenblock von Gitter zu Gitter gegangen und hatte die Tiere porträtiert, um sie der Nachwelt zu bewahren. Ich habe nie so traurige Tierbildnisse gesehen. Viele Tiere standen in der Warteschleife, und niemand konnte eine verläßliche Auskunft geben, was mit ihnen geschehen sollte. Leicht zu verkaufen waren die Rhesus-Äffchen, vor allem an dynamische Jungunternehmer, die sie als besondere Attraktion für ihre neu eröffneten Läden nutzten. Dagegen waren die größeren, plumperen Tiere schwer an den Mann zu bringen, Elefanten, Nashörner, Flußpferde. Als besonders gefährdet galt eine der Giraffen, die angeblich eine dunkle Vergangenheit hatte. Sie war längere Zeit in einem Zirkus aufgetreten und habe sich, hieß es, unrühmlich hervorgetan. Obwohl keiner Genaues wußte, holte man sie aus der Warteschleife heraus und wollte kurzen Prozeß machen. Schlehwein hatte Erbarmen und kaufte sie. Fünfzig Mark für eine Giraffe ist nicht viel, das finde ich auch.

Bei Schlehwein im Oderbruch muß es die Giraffe gut gehabt haben. Eine schöne, langatmige Landschaft. Wie gemalt, von Schlehwein. Das Haus, das er bewohnte, lag abseits aller Straßen. Er hatte es billig von der Gemeinde erworben, die froh war, daß es nicht weiter verfiel. Früher soll es – nur der Telefonanschluß in der Einöde deutet noch darauf hin – einem Arzt gehört haben, der vor Jahren überstürzt außer Landes gegangen war. Wir hatten Schlehwein geholfen, das Dach auszubessern und neue Fenster einzusetzen, obwohl wir nur über geringfügige handwerkliche Fähigkeiten verfügten, denn wir hatten alle nichts Richtiges gelernt. Wir waren Bibliothekare, Archivare, Meteorologen, Ethnologen, Sinologen, Dramaturgen, Lektoren, Historiker und Germanisten. Mit Mühe konnten wir ihn überreden, das Telefon wieder anschließen zu lassen. Damit er erreichbar für uns bliebe. Falls eines Tages etwas Außergewöhnliches geschehen sollte. Falls sich, über Nacht, die Verhältnisse doch noch ändern sollten. Da konnte Schlehwein nur lachen. Er sträubte sich lange, denn er wollte sich nicht mehr überwachen lassen. Ich glaube, er hat sich schließlich nur wegen Kristina darauf eingelassen, den Apparat wieder zu installieren, allerdings außerhalb des Hauses, im Toilettenhäuschen, das im Garten stand. Wir mußten das Telefon immer lange klingeln lassen. Dafür waren unsere Gespräche meist sehr kurz, vor allem im Winter.

Ohne Telefon und vor allem ohne diesen vermaledeiten Anrufbeantworter wäre gewiß alles anders gekommen, und er hätte mir die Giraffe nicht anhängen können. Aber es ist nicht mehr zu ändern. Schlehwein öffnete den Verschlag des überhohen Spezialanhängers und war der Giraffe beim Aussteigen behilflich.

Ist sie nicht süß, sagte er.

Ja, ja, sagte ich verwirrt. Die Giraffe sah mich mißtrauisch an, von oben herab, als könne sie nicht glauben, daß ich mir immer ein Tier gewünscht habe, zu dem ich aufsehen kann.

Ich bat die beiden in die Wohnung. Der Rücken der Giraffe reichte bis zu Türfüllung, sie senkte den langen Hals und steckte den Kopf ins Wohnzimmer. Mit lässiger Geste lud ich meine Besucher ein, Platz zu nehmen, was allerdings insofern gedankenlos von mir war, als selbst der große Ledersessel, den ich von meinem Großvater geerbt hatte, für die Giraffe zu klein war. Auch Schlehwein blieb stehen. Die Giraffe sah auf die Aktstudien von Kristina herunter, die an der kahlen Wand hingen, und furzte. Schlehwein betrachtete die Aktstudien gleichfalls, neugierig und verstohlen, als habe er sie nicht selbst gemalt. Dann öffnete er den oberen Fensterflügel, und die Giraffe steckte den Schädel ins Freie. Das Freie war eine verkommene Straße im Stadtbezirk Prenzlauer Berg, mit abgeparkten Autos, ausgeweideten Autowracks und überquellenden, rauchenden Müllcontainern. Schlehwein schob mich in die Küche. Ich öffnete den Kühlschrank und warf ihm ein Bier zu. Er trank aus der Flasche. Er sprach leise, er flüsterte fast. Ich müsse Geduld haben. Sie sei zutraulich, die Giraffe. Und außerdem, es sei gut für mich, jemanden in der Wohnung zu haben, so käme ich leichter über alles hinweg. Daß mich Kristina zum drittenmal endgültig verlassen hatte, wußte er. Es schien ihn mit einer gewissen Genugtuung zu erfüllen, aber vielleicht bilde ich mir das nur ein. Ich konnte mir nicht erklären, woher er es erfahren hatte, da ja eigentlich noch nicht einmal jemand wissen konnte, daß wir wieder zusammengelebt hatten.

Mach dir nichts draus, sagte er, du brauchst eine neue Aufgabe. Es wächst der Mensch mit seinen höheren Zwecken. Und in der Gefahr wächst das Rettende auch. Er redete ohne Unterlaß, und er hatte etwas Gehetztes an sich. Er übergab mir die Schlüssel für sein kleines Auto und für den Spezialanhänger, der fast fünf Meter hoch war und den ihm die Wärter für zehn Mark überlassen hatten. Damit ich auch gelegentlich ausfahren könne mit der Giraffe, um ihr etwas Zerstreuung zu bieten, denn in gewisser Hinsicht, sei sie natürlich anspruchsvoll. Aber ich solle mich hüten, ins Oderbruch mit ihr zu fahren. Versprichst du mir das?

Ich war voller Unverständnis, um nicht zu sagen Wut. Ich hielt die Giraffe für eine ungeheuerliche Zumutung, und mir kam der Verdacht, dies sei eine späte Rache wegen Kristina, denn er hatte sie sehr geliebt. Manchmal hatte ich sogar geglaubt, er habe sich damals ihretwegen in die Einöde zurückgezogen.

Versprichst du mir das, sagte er noch einmal.

Hör mal, rief ich, jetzt sage mir endlich, was das alles soll. Für wie lange soll ich das Tier beköstigen? Und wo willst du überhaupt hin?

Du kannst das Auto behalten, erwiderte er.

Ich brauche dein Auto nicht, sagte ich, ich habe nie ein Auto gebraucht.

Ich auch nicht, sagte er. Ich brauche überhaupt nichts mehr. Und ich kann hier nicht länger bleiben. Ich muß weg.

Und das Haus?

Das Haus, sagte Schlehwein. Das war alles, und seine Stimme war so klein, wie sie nie gewesen war. Dann drückte er mir die Hand und ging hinüber ins Wohnzimmer. Er schlug der Giraffe kameradschaftlich auf das Gesäß. Es war das größte Gesäß, das ich je in meinem Wohnzimmer gesehen hatte.

Ich hol dich nach, sagte Carl-Ernst Schlehwein, ich bereite schon alles vor, ich werde dir schreiben, ich hole dich nach.

Sie hatten beide, deucht mich, Tränen in den Augen, die Giraffe und er.

IV

FRÜHER HABE ICH MANCHMAL GEDACHT, GIRAFFEN SEIEN UNGLÜCKLICHE TIERE. Das ist nicht der Fall. Sie sind lediglich etwas begriffsstutzig, vor allem wenn es darum geht, den Ton oder die Farbe des Fernsehers zu regulieren. Ich weiß nicht, ob sich alle Giraffen so unbeholfen anstellen, meine jedenfalls geht sehr umständlich zuwerke, obwohl sie ansonsten ziemlich helle ist. Wenn ich sage, sie soll den Ton leiser stellen, streckt sie ihre schwarze Zunge heraus und drückt damit die Tasten der Senderwahl, eine Taste nach der anderen. Es wird überall geschossen. Aus Maschinenpistolen und aus kleinkalibrigen Gewehren und aus Minipistolen. Auf Schlachtfeldern, in Häfen und in Schlafzimmern, von vorn, von hinten, von links und rechts, und es fallen immerzu Menschen tot um, manchmal über hundert pro Sendeabend.

Leiser, habe ich gesagt, nicht andere Sender.

Die Giraffe schiebt einen der Hebel nach links, bis das Bild heller wird. Ich werde ungeduldig.

Leiser, habe ich gesagt, sage ich, nicht heller.

Ich kann nicht jedesmal auf die Leiter steigen, um am Fernseher herumzudrehen, der auf dem

Schrank steht. Sie muß das endlich lernen. Wir alle müssen viel Neues lernen in dieser Zeit. Wir müssen alles neu sehen. Wir müssen umdenken. Das ist auch wieder so ein Wort, umdenken. Ich schreibe es auf. Ich schreibe alle neuen Wörter auf. Ich habe auf meinen Zetteln schon sehr viele Wörter stehen, die es zwar schon früher gab, aber die keine besondere Rolle gespielt haben. Erst in letzter Zeit haben sie eine überraschende und mitunter sogar überragende Bedeutung bekommen, wobei sie häufig ihren Sinngehalt eingebüßt oder gewandelt oder sogar gewendet haben. Umdenken, einklagen, Seilschaft, Altlast, Warteschleife, Wendehals, herunterfahren, abwickeln, abschmelzen, Treuhand, filetieren. Ich sammle diese neuen Wörter. Etwas muß ich schließlich tun, sonst werde ich verrückt. Aber wenn ich schreibe, geht es.

Natürlich habe ich mich, obwohl ich früher nie auf einen solchen Gedanken gekommen wäre, kundig gemacht und viel über das Leben der Giraffe gelesen. Ich war viele Monate nicht in einer Buchhandlung, ich habe vor allem Zeitungen und Zeitschriften gelesen. Jeden Tag gab es verblüffende Neuigkeiten. Kürzlich las ich, daß sie im Marzahner Neubaugebiet 13.000 Ostbäumchen herausgerissen haben, um dafür 13.000 Westbäumchen zu pflanzen.

Als ich meinen Blick über die Büchertische schweifen ließ, wurde ich immer verwirrter. Es waren vorwiegend Bücher, die ich nicht kannte. Die Autoren, die mir geläufig waren, fehlten. Sie standen auch nicht in den Regalen. Also mußte stimmen, was ich gehört hatte. Ihre Bücher waren, da sie nicht mehr abzusetzen waren, eingestampft oder gar, da sie nicht länger gelagert werden konnten, verbrannt worden, vor allem im sächsischen und thüringischen Raum.

Sie wünschen, fragte die Buchhändlerin, die mich längere Zeit gemustert hatte.

Haben Sie etwas über Giraffen?

Belletristisches oder mehr in Richtung Kinderbuch?

Nein, nein, sagte ich, mehr über Ernährung, Gewohnheiten, Verhaltensweisen, Psychologie.

Psychologie der Giraffen? Die Buchhändlerin sah mich streng an, durchdringend, möchte ich fast behaupten. Dann kniff sie die Augen zusammen, als sei ihr ein Gedanke gekommen. Sie begab sich an eins der Stehpulte und blätterte in einem dicken Verzeichnis.

Ich war wieder für mich allein und dachte über die Schriftsteller nach, deren Bücher nicht mehr angeboten wurden, weil sie keiner mehr kaufen und keiner mehr lesen wollte, weil die Zeiten über sie hinweggegangen waren. Ich hatte plötzlich eine Vision. Ich sah all die Schriftsteller, zweihundert oder dreihundert, vor ihren zweihundert der dreihundert Schreibmaschinen sitzen und neue Bücher schreiben. Sie schwitzten, sie schrieben in fieberhafter Eile. Sie arbeiteten die Vergangenheit auf, sie suchten sie hektisch zu bewältigen, die Vergangenheit. Mir wurde auf einmal schwarz vor Augen.

Inzwischen hatte die Buchhändlerin alle Titel herausgefunden, die in den letzten Jahren über die Giraffe erschienen waren. Es war eine stattliche

Anzahl. Ich hätte nie geglaubt, daß die Giraffe ein so ergiebiges und weitverzweigtes Thema ist. Vorrätig allerdings war keins der Bücher. Da die Buchhändlerin der festen Überzeugung war, ich werde das eine oder andere Buch käuflich erwerben, bestellte sie sie mir.

Schon wenige Tage später waren die meisten Bücher geliefert worden. Es waren faszinierende Bildbände darunter, ich war begeistert. Nach den Abbildungen zu urteilen, mußte mein Tier zur Gruppe der Netzgiraffen – zu den sogenannten giraffa camelopardis camelopardis reticulata – gehören. Ich war nahe daran, mir eins der Werke einwickeln zu lassen, um es der Giraffe zu zeigen, da ich annahm, sie kenne womöglich den einen oder anderen ihrer Artgenossen persönlich, aber ich ließ davon ab, da mit mein Vorhaben etwas unschicklich schien, denn gewiß würde ich das Heimweh, das sie unstreitig hatte, nur noch verstärken. Heute ist mir klar, sie ist nicht in den Savannen geboren, sie hat Afrika nie betreten. Alles, was sie vom Land ihrer Väter weiß, weiß sie von ihrer Mutter, die sie im Leipziger Zoo zur Welt gebracht hat. Und alles, was ich über Giraffen weiß, habe ich mir durch Lektüre angeeignet, unter den argwöhnischen Blicken der Buchhändlerin, die gelegentlich mahnend aufhüstelte und immer ungehaltener wurde, weil ich mich nicht entschließen konnte, eins der Bücher käuflich zu erwerben, zumal auch die wenigen anderen Kunden keine Bücher kauften, es sei denn ein broschiertes Bändchen über Steuerrecht.

Manches von dem, was ich las, stimmte, und

manches stimmte nicht. Die Giraffe ist ein Paarhufer, und sie trägt auf dem Kopf, der im Verhältnis zu ihrem massigen Körper etwas klein wirkt, fellüberwachsene Hörner, das war zutreffend. Auch kann ich aus eigener Beobachtung bestätigen, daß sie beim Trinken in lächerlicher Weise die Vorderbeine spreizt und den langen Hals herabbiegt, um an den Wassereimer heranzukommen. Und daß sie ein Wiederkäuer ist, was mich beim Schreiben häufig irritiert. Und daß sie sich im Paßgang vorwärtsbewegt wie das letzte Kamel, den rechten vorderen und den rechten hinteren Fuß gleichzeitig, dann den linken vorderen und den linken hinteren Fuß, ich schämte mich immer ein bißchen, wenn wir im Prenzlauer Berg spazierengingen. Frohlockend nahm ich zur Kenntnis, daß der Körper der Giraffe viel Wärme abgibt, ich freute mich schon auf den Winter, ich würde an Heizkosten sparen, die für mich kaum noch aufzubringen sind. Was allerdings nicht stimmt, ist, daß Giraffen keine Laute abgeben, weil sie angeblich keine Stimmbänder haben. Das wußte ich nun wirklich besser, so daß ich diese eklatante Fehleinschätzung gut als Vorwand benutzen konnte, keines der Bücher zu kaufen.

Ihre Bücher, sagte ich, sind nicht auf dem neuesten Stand. Die Buchhändlerin war bestürzt. Um sie abzulenken, wechselte ich das Thema.

Eigentlich wollte ich etwas von Ralph B. Schneiderheinze, sagte ich, haben Sie ein Buch von Ralph B. Schneiderheinze?

Schneiderheinze? Die Buchhändlerin tat, als hätte sie den Namen nie gehört. Ich wurde ärgerlich.

Sie tun so, als hätten Sie nie Bücher von Schneiderheinze verkauft, sagte ich.

Er ist nicht mehr im Angebot, erwiderte sie, er wird auch nicht mehr verlangt, die Leute wollen jetzt Reisebücher und leichte Liebesromane.

Sie schien traurig, aber vielleicht bilde ich mir das nur ein. Um sie zu trösten, ließ ich mir dann doch noch ein Buch einwickeln. Es war dieses Taschenbuch über tausend legale Steuertips. Vielleicht, dachte ich, kann ich die Giraffe von der Steuer absetzen. Aber ich sollte mich irren wie meist in meinem Leben. Von der Giraffe kein Wort.

Eben fällt wieder ein Mensch auf der Bildröhre um, tödlich getroffen von einer Kugel.

Leiser, habe ich gesagt, sage ich, du sollst den Fernseher leiser stellen.

Okay, okay, sagt die Giraffe beleidigt.

V

ICH DENKE ÜBER DAS LEBEN MEINER GIRAFFE NACH. Einiges habe ich von ihr selber erfahren, anderes von Schlehwein, aber das meiste muß ich mir selber zusammenreimen.

Die ersten Jahre hat sie im Leipziger Zoo zugebracht. Sie wuchs behütet auf, wurde regelmäßig gefüttert und getränkt, und sie muß wohl gedacht haben, dies sei das ganz normale, natürliche Leben einer Giraffe. Anfangs, in den Kinderjahren, stieß sie des öfteren den Wassereimer versehentlich um. Da fluchten die Wärter sehr und nannten sie eine dumme Sau oder ein Kamel. Die Tragweite solcher Beleidigungen wurde ihr erst später bewußt. Schließlich ist sie eines der größten Säugetiere auf der Erde. Ansonsten verlief ihr junges Leben, wie es im Zoo gang und gäbe ist: sie betrachtete, wiederkäuend oder urinierend, die Menschen hinter den Gittern, die ihrerseits von dem wahnwitzigen Irrtum besessen waren, das Wesen eines Zoologischen Gartens bestehe darin, daß sie die Tiere betrachteten.

Von der Freiheit wußte sie damals herzlich wenig. Allenfalls wird sie von ihrer Mutter erfahren haben, daß die Freiheit eine zweischneidige Sache ist. Einerseits konnte man ungezügelt durch die Savannen laufen und das schöne frische Laub von den hohen Akazien abfressen, wo immer man wollte. Andererseits war man ständig gefährdet, man konnte immer von einem Löwen angefallen werden. Ihre Mutter hatte einmal, bevor sie mit langen Leinen eingefangen und nach Europa verbracht wurde, in letzter Notwehr, als sie an einem Flüßchen die Vorderbeine spreizte und den Kopf zum Trinken senkte, einem Löwen mit ihren Hörnern den Schädel einschlagen müssen, obwohl derlei Gewaltanwendung nicht ihre Art war. Giraffen sind eher friedfertige Tiere. Eigentlich, das wird ihre Mutter ihr mit auf den Weg gegeben habe, war das Leben in einem Zoo, vor den Löwen und den Menschen geschützt, recht bequem. Viel wird natürlich, wenn sie einträchtig in ihrem Gehege standen, von Afrika die Rede gewesen sein, falls man das Schwanzwedeln und das Augenaufleuchten wirklich als Rede bezeichnen kann. Von Afrika und vom Kolonialismus. Die Giraffe sagte Konolialismus, ich erwähnte es wohl schon. Sie spuckte immer erst ein bißchen vor sich hin und sagte Ko und geriet ins Stottern, bis schließlich das verstümmelte Wort herauskam. Die afrikanischen Konolien und die weißen Konolialherren waren ihr sehr geläufig. Und wie sie ankamen mit ihren Bibeln, ihren Glasperlen und ihren alkoholischen Getränken. Und wie sie die Bäume absägten und die Erde aufwühlten. Und wie sie das Letzte herausholten aus dem Urwald und aus den Ureinwohnern. Und wie sie die Tiere zusammentrieben, zusammenpferchten, zusammenschossen und die kräftigsten und die schönsten von ihnen nach Europa brachten. Aus eigener Anschauung konnte die Giraffe das alles nicht haben, sie wußte es von anderen, deren Vorfahren weitererzählt hatten, was deren Vorfahren von ihren Vorfahren weitererzählt worden war. Oder sie wußte es vom Fernsehen. Oder von Schlehwein, denn in letzter Zeit war viel vom Kolonialismus die Rede, besonders wenn wir mit Professor Bröckle zusammen waren. Wobei mich allerdings wundert, daß es Schlehwein nicht gelungen war, der Giraffe eine bessere Aussprache beizubringen. Aber wahrscheinlich war der prägende Einfluß der Wärter nicht mehr auszumerzen. Oder das verderbliche Vorbild der Papageien, denn Papageien artikulieren schließlich auch nicht gut, was allgemein, bei der anhaltenden Euphorie, daß Papageien überhaupt sprechen können, leicht übersehen wird. Oder besser gesagt: überhört.

Der Käfig der Papageien muß in unmittelbarer Nähe des Giraffengeheges gestanden haben, und natürlich hatten die Papageien einen größeren Zulauf als die vierbeinigen Langhälse, denn nichts ist den Menschenkindern angenehmer und bestätigt sie stärker in ihrem Selbstwertgefühl, als wenn ihre eigenen Worte nachgesprochen werden. Die Giraffen sind darüber verstimmt gewesen, sie fühlten sich vernachlässigt. Sie hätten Handstand machen können, es hätte sie niemand beachtet. Aber einmal, nicht wahr, hat ein Kind vor ihrem Käfig gestanden und hat gesagt: Guck mal, Mami, eine Giraffe. Und da hat plötzlich sie, die Giraffe, zur Verblüffung des Kindes und der Mami den Mund aufgetan und hat gesagt: Giraffe. Mehr nicht. Nur

Giraffe. Rülpsend zwar, aber immerhin. So hat das angefangen. So war das doch, ja?

Die Giraffe gähnt ungeniert.

Und weiter, frage ich. Haben sie dich dann aus dem Zoo herausgeholt? Haben sie dich für den höheren Dienst vorgesehen? Haben sie dich dressiert? Haben sie dich in den Zirkus gesteckt?

Die Giraffe schweigt. Immer wenn wir an diesen Punkt kommen, verweigert die Giraffe jede Aussage. Der einzige, der mir Aufklärung geben könnte, ist Carl-Ernst Schlehwein. Aber Schlehwein ist nicht mehr da. Er ist wahrscheinlich schon in der Savanne und bemüht sich um eine Aufenthaltserlaubnis für das Tier.

Die Giraffe gähnt wiederum. Dann uriniert sie in den großen Eimer, der hinter ihr steht. Im Fernsehen wird wieder geschossen, auf allen Kanälen.

Die Giraffe will, daß ich von mir erzähle.

VI

ICH?

Ich weiß nicht.

Es ist nicht viel zu erzählen, es ist alles so harmlos. Ich wandere gern durch die grünen Wälder. Ich liebe die Natur. Aber wer liebt die Natur nicht.

Ich habe ein paar Semester Germanistik studiert, es ist lange her. Aber es hängt mir immer noch an.

In den letzten Jahren hatte ich beruflich vorwiegend mit leeren Flaschen zu tun. Recycling. Falls dir das etwas sagt. Wiederverwendung von Glas und Papier, um die Natur zu entlasten. Es war wenig, ich gebe es zu, aber wenig ist mehr als nichts. Ich muß mich nicht schämen, obwohl mir Onkel Alfred einreden wollte, ich solle nach Höherem streben, gerade jetzt, da die Zeit des Leidens und der Knechtschaft zu Ende gegangen sei und uns alle Wege offenständen und wir uns die Ärmel hochkrempeln müßten. Onkel Alfred wohnt in München. Er ist froh, daß er das alles noch erleben durfte. Das habt ihr gut gemacht, hat er gesagt, und alles so friedlich. Er war gleich nach der Wende da, als erster.

Wende. Ich sammle die neuen Wörter, die jetzt Konjunktur haben. Wende. Wendehals. Mauerspecht. Wahnsinn. Aber mit dem Wahnsinn ist es vorbei. Arbeitsbeschaffungsmaßnahmen. Marketing. Holding. Outfit. Stasisyndrom. Wegbrechen. Wohlstandsmauer. Die neuen Wörter sind ein gefundenes Fressen für ausgeflippte Germanisten.

Ich war zweimal mit derselben Frau verheiratet. Die ewige Wiederkehr des gleichen. Die ewige Wiederkehr derselben. Wiedergeburt. Recycling. Die große Liebe kehrt immer wieder. Recycling der Liebe. Falls du verstehst, was ich meine.

Die Giraffe schüttelt den Kopf.

Das drittemal, sage ich, haben wir gar nicht erst geheiratet. Ja, es ist die auf den Bildern. Kristina. Sie ist Schauspielerin. Aber sie hat immer nur kleinere Rollen gespielt. Wir alle haben nur kleine Rollen gespielt. Ich weiß nicht einmal, ob wir richtig mitschuldig sind, aber Kleingrube wird es herausfinden, er ist Archivar, du wirst ihn schon noch kennenlernen, du wirst alle Freunde kennenlernen.

Natürlich hatte ich auch andere Frauen. Vor Kristina. Nach Kristina. Zwischen Kristina. Es war manchmal komisch, es war auch manchmal traurig. Du kannst das wahrscheinlich nicht verstehen. Man sollte nicht mit Frauen schlafen, die man nicht liebt. Andererseits soll man Frauen auch nichts abschlagen. Bei dir ist es anders, ich weiß, ich habe es in der Buchhandlung gelesen. Einer, ein Giraffenbulle, leckt dich, und du urinierst, und er prüft deinen Urin, und er weiß dann, ob es einen Sinn hat oder nicht, und dann wird er geil oder nicht und steckt ihn dir rein oder nicht, je nachdem ob zu erwarten ist, daß du daraufhin ein Giraffenbaby zur Welt bringen wirst oder nicht, aber ich will dir nicht zu nahetreten. Wenn ich das Thema wechseln soll, bitteschön.

Natürlich, sage ich, hatte auch Kristina andere Männer, vor mir, nach mir, zwischen mir. Aber es scheint die Giraffe nicht sonderlich zu interessieren, sie blickt stumpf und gelangweilt drein. Sie kennt Kristina nicht, und Schlehwein, nehme ich an, wird ihr nichts von ihr erzählt haben, sonst wäre sie gewiß hellhörig geworden. Also versuche ich sie mit einer Geschichte zu unterhalten.

Ich war einmal auf einer Party. Es war eine der üblichen Parties, mit lauter Bibliothekaren, Archivaren, Historikern, Meteorologen, Sinologen und anderen Leuten, die alle nichts Richtiges gelernt haben, wofür sie jetzt bitter büßen müssen. Wahrscheinlich feierten wir den Geburtstag von Bröckle oder von Hasselblatt oder von Kleingrube, es spielt auch keine Rolle. Wir feierten unsere Geburtstage reihum, wir hatten ja sonst nicht viel vom Leben unter der stalinistischen Knute, wie Onkel Alfred dies nannte, keine richtigen Filme, kein richtiges Theater. Es war auch einer da, den keiner von uns kannte. Irgend jemand hatte ihn mitgeschleppt, es mußte ein Literaturkritiker sein oder so. Er tat sich gütlich am Käsesalat, der wirklich, wenn ich mich recht entsinne, hervorragend gewesen sein muß, oder eimwandfrei, wir sagten damals eimwandfrei, es war alles eimwandfrei, heute sagen wir fabelhaft, auch das haben wir übernommen, es ist alles fabelhaft. Eimwandfrei, sagte der Literaturkritiker und häufelte sich noch etwas Käsesalat auf den Teller. Plötzlich hob er den Blick und sah mich lange an. Sie sind doch, sagte er. Nein, nein, sagte ich und winkte bescheiden ab, das ist nicht der Rede wert. Ich dachte, er hätte mich wiedererkannt. Ich dachte, er hätte mir leere Flaschen gebracht und ich hätte ihm zuwenig Geld herausgegeben. Eimwandfrei, sagte er, ein sehr gutes Buch. Ich wußte nicht, wovon er sprach. Erst allmählich bekam ich mit, daß es sich um einen Roman handelte. Und die Verhältnisse im realen Sozialismus seien sehr differenziert erfaßt, ohne verletzende Kritik, allen Seiten gerecht werdend. Und ich war der Verfasser. Ich erschrak und hob abwehrend die Hände, wie du dir sicher vorstellen kannst. Doch er hielt mein verstörtes Verhalten für falsche Bescheidenheit, die völlig unangebracht sei. Ich konnte leugnen, wie ich wollte, daß ich auch nur das geringste mit der Sache zu tun hatte, er war nicht davon abzubringen, daß ich ein rechtes Meisterwerk geschrieben hätte. Schließlich ließ ich ermattet den Schwall seiner Lobesworte über mich ergehen. Ich setzte mich nicht länger zur Wehr, ich trank sogar Bowle mit ihm, Erdbeerbowle, wenn ich es richtig in Erinnerung habe. Ich ließ mich feiern und stand mit geschwellter Brust. Es war der größte Erfolg, den ich je in meinem Leben hatte. Sogar Kristina war stolz auf mich. Ein schönes Gefühl. Das muß während unserer zweiten Ehe gewesen sein. Erst später brachte ich in Erfahrung, daß der Verfasser des gerühmten Romans ein gewisser Ralph B. Schneiderheinze ist. Ich sah sein Bild in der Zeitung. Seine Ähnlichkeit mit mir war verblüffend. Er hatte einen krausen Bart und abstehende Ohren wie ich. Aber hörst du mir überhaupt zu?

Die Giraffe ist in sich zusammengesunken und hat ihren Kopf auf den Rücken gelegt. Sie atmet gleichmäßig, leicht schniefend. Ich habe endlich meine Ruhe.

VII

AM MEISTEN WUNDERTE SICH DER BRIEFTRÄGER. Er schnüffelte, als er vor der Tür stand, und sah mich fragend an. Er pflegte bei mir zu klingeln, wenn er Post für mich hatte, die er, wie es üblich ist, natürlich auch in den Hausbriefkasten hätte stecken können, aber er zieht es vor, sie mir persönlich zu überreichen. Er sucht das Gespräch. Mir ist es recht, denn er ist, von der Giraffe abgesehen, zuzeiten der einzige, mit dem ich ein paar Worte wechsle, vor allem seit wir diese automatischen Anrufbeantworter haben.

Briefträger ist er offensichtlich noch nicht lange, der junge, kräftige Mann, der mir für eine handfeste, körperliche Arbeit sehr geeignet erscheint. Welche Tätigkeit er vorher ausgeübt hat, weiß ich nicht. Manchmal ist mir so, als hätte ich ihn schon früher gesehen, womöglich wie er auf dem Bürgersteig entlangflanierte, unauffällig, in einem Parka wie der andere, der ihn begleitete, einen kleinen Regenschirm unter den Arm geklemmt wie der andere, und schon rasten die schwarzen Limousinen vorbei, und die vielen jungen Männer in den Parkas gingen einfach wieder weg, wie sie gekommen waren. Aber es ist vielleicht das Trauma, das wir alle noch haben. Und wennschon, irgendwo müssen diese vielen jungen Männer ja bleiben.

Ich bat den Briefträger herein, denn ich wollte sehen, wie er auf die Giraffe reagiert. Das kleine Bündel Post legte ich auf dem Sims ab. Der Briefträger stand wie angewurzelt auf der Schwelle zum Wohnzimmer und hatte den Mund leicht geöffnet. Die Giraffe begann heftig zu schnauben, als sie ihn erblickte. Ich zog mich dann mit dem verstörten Postboten in die Küche zurück und gab ihm eine Tasse Tee, der allerdings nur noch lauwarm war. Ich sagte, es bestehe kein Anlaß, sich zu wundern. Jetzt sei alles möglich. Wer hätte noch vor einigen Monaten ernsthaft geglaubt, die Mauer würde je fallen. Oder daß wir jetzt hier, was wir immer schon wollten, die Bildzeitung lesen können. Oder daß die Schirmmützen der Volksarmee am Checkpoint Charly verkauft werden. Oder daß die Nationalpreisträger die Nationalpreise zurückgeben. Oder daß wir uns jetzt, wann immer uns danach zumute ist, einen Pornofilm ansehen können. Warum also nicht eine Giraffe in der Wohnung?

Der Briefträger sah mich an.

Sie spricht, ja?

Wie kommen Sie denn darauf, erwiderte ich. Hat sie vielleicht gesprochen?

Auf einmal hatte es der Briefträger sehr eilig. Von dem Tee hatte er nur genippt. Als ich ihn hinausbrachte, schüttelte er den Kopf. Er bedauerte mich wohl.

Wir haben alle unser Päckchen zu tragen, sagte er. Ich halte diese Äußerung von einem Postzusteller nicht für ungewöhnlich.

Dann sah ich die Post durch. Es war das Übliche. Angebote über Angebote. Ich soll nach Mallorca reisen, ich soll die Tagesfahrt in den Heidepark buchen, ich bekomme sogar noch eine Büchse Würstchen und eine Tischdecke und ein warmes Mittagessen dazu, alles für neunzehn Mark, ich soll vier Tage in Wien ausspannen für hundertneunundneunzig Mark. Liebe Eva, lieber Adam, wir haben etwas für Sie entwickelt, das Ihnen einfach herrliches Haar gibt. Auch einer dieser Kettenbriefe war wieder dabei, wie ich sie seit langem erhalte. Diesmal sollte ich fünfzig Mark einzahlen, und ich würde binnen vier Wochen zwölftausend Mark erhalten, wobei fünf Prozent für gemeinnützige Zwecke abzuführen seien.

Kristina hat nicht geschrieben. Sie hatte nicht ein einziges Mal geschrieben, seit sie gegangen ist, im Zorn, Türen schlagend. Ich weiß nicht einmal, ob sie angekommen ist, wo sie hinwollte. Ich weiß nicht einmal, wo sie hinwollte. Sie wird nicht schreiben. Sie hat mir nie geschrieben, auch nach den früheren Trennungen nicht. Dennoch kann ich nicht aufhören zu warten, denn nicht mehr warten, das ist das Ende.

Die Giraffe geht ruhelos auf und ab. Sie hat die Stehlampe umgestoßen. Auch Schlehwein hat nicht geschrieben.

Es ist zu früh, sage ich, beruhige dich.

Ich gehe zum Telefon und wähle Hasselblatts Nummer. Hier spricht der automatische Anrufbeantworter von Rudolf Hasselblatt. Ich wähle Bröckles Nummer. Wenn Sie eine Nachricht für mich haben, sprechen Sie nach dem Signalton. Es ist immer das gleiche, auch bei Kleingrube. Ich habe keine Nachricht für Sie, schreie ich ins Telefon. Dann gehe ich mit der Giraffe ins Freie.

Komm, sage ich, wir wollen sie besuchen, die Freunde.

Die Giraffe ist entzückt. Sie freut sich über jeden Auslauf.

VIII

DIE GIRAFFE TROTTET FOLGSAM NEBEN MIR HER und frißt gelegentlich ein paar Blätter von einem Gesträuch oder von einem Baum, dessen Äste weit genug herabhängen. Doch es gibt nicht viel Bäume und Sträucher im Prenzlauer Berg. Die Giraffe geht im Paßgang, es ist mir peinlich. Aber niemand dreht sich um. Es wundert sich keiner mehr über irgendwas. Trotzdem, es ist mir peinlich.

Latsch nicht so, sage ich. Doch die Giraffe geht, wie ein Stoiker im Tierreich, unbeirrbar so fort in ihrem tolpatschigen, eigensinnigen Schritt, den massigen Leib schaukelnd, erst den rechten vorderen Fuß und den rechten hinteren Fuß setzend, dann den linken vorderen und den linken hinteren, wie ein Kamel.

Wie ein Kamel, sage ich. Sieh dir doch die anderen Tiere an, wie elegant sie gehen, zum Beispiel die Hunde. Rechtes Vorderbein, linkes Hinterbein. Dann linkes Vorderbein, rechtes Hinterbein.

Die Giraffe bleibt stehen und sieht sich die Hunde an. Ein Bernhardiner hebt das rechte Hinterbein und pißt gegen einen Laternenpfahl. Nun stellt sich die Giraffe an eine große Platane, hebt das rechte Bein und pißt einen gewaltigen Strahl. Eine ironische Nachahmung. Dann geht sie weiter. Setzt das rechte Vorderbein und das linke Hinterbein gleichzeitig. Setzt dann das linke Vorderbein und das rechte Hinterbein. Setzt wieder das rechte Vorderbein und das linke Hinterbein. Und so weiter. Und sehr elegant.

Na bitte, sage ich. Aber niemand dreht sich nach uns um, niemand läuft uns hinterher, nicht einmal die Kinder. Es wundert sich keiner mehr über irgendwas, zuviel ist geschehen im letzten Jahr, jeder hat mit sich selber genug zu tun. Plötzlich verheddert sich die Giraffe mit ihren vielen vier Beinen, stolpert, strauchelt fast.

Seiße, sagt sie. Das Wärterdeutsch.

Doch da sind wir schon am Wohnwagen angelangt, der an der Straßenecke steht und mit Wimpeln und Reklamebildern reich geschmückt ist. Früher stand er am Plauer See.

Zwei Döner, sage ich.

Rudolf Hasselblatt schaut aus der Luke heraus und nickt. Er trägt einen weißen, etwas schmuddeligen Arbeitsmantel, seine Hand ist schweißig. Er hat, erkläre ich der Giraffe später, aus Anhänglichkeit den Wohnwagen aus dem Nachlaß seines Betriebes übernommen, denn er hatte oft in ihm seinen Urlaub verbracht. Übernommen, das ist auch wieder so ein Wort. Er selber ist nicht übernommen worden. Es werden in einem Land, auch wenn es größer ist als vorher, einfach nicht so viele Meteorologen gebraucht wie vorher in zwei Ländern, und Wetter ist Wetter und muß nicht doppelt vorausgesagt werden. Die Wetterprognosen sind ohnedies großenteils unzutreffend, und wenn das Wetter tatsächlich mit den Prognosen übereinstimmt, beruht dies auf den geläufigen Erfahrungswerten, daß es gemeinhin im Winter kälter ist als im Sommer, daß es im August in unseren Breiten und Höhen nicht zu schneien pflegt und daß im November häufig die Nebel wallen.

Rudolf Hasselblatt schneidet Fleisch ab und legt die Salatblätter zurecht.

Mit Soße, fragt er.

Ich schaue zur Giraffe hoch, sie nickt. Rudolf Hasselblatt nickt ebenfalls. Von der Giraffe nimmt er nur flüchtig Notiz, ebensowenig wie seine spillerige Frau, die im Innern des Campingwagens Teller wäscht, wie es einer habilitierten Sinologin zukommt. Die Döner verzehren wir schweigend, sie schmecken scheußlich. In einem unbeobachteten Augenblick reiche ich die Semmel hoch, die Giraffe frißt alles. Ich verlange eine Cola.

Light?

Light, sage ich.

Rudolf Hasselblatt nickt. Er ist einverstanden. Er ist mit allem einverstanden.

Es muß jeder sehen, wo er bleibt, sagt er, und außerdem wäre es ohnehin so gekommen.

Ja, sage ich, wahrscheinlich hast du recht. Die Cola schmeckt auch scheußlich, sie ist nicht gekühlt. Aber am meisten verübele ich ihm, daß er die Getränke in Büchsen verkauft und nicht in Flaschen.

Es mußte so kommen, sagt nun auch die Sinologenfrau aus der Luke heraus, es ging so nicht weiter. Sie hat ein verschwitztes Gesicht.

Sonst sprechen wir über nichts. Sie fragen nicht nach meinem Befinden, sie sehen es selber, wie wir hilflos nebeneinanderstehen, die Giraffe und ich. Als ich zahle, will Hasselblatt wissen, ob die Polizei auch schon bei mir gewesen sei.

Die Polizei?

Er flüstert. Es ist wegen Schlehwein, er wird gesucht. Aber näher äußert er sich nicht, es ist ihm untersagt worden. Außerdem kommen neue Kunden.

Unser Abschied ist noch kürzer als unsere Begrüßung. Wir gehen weiter. Ich überlege, ob ich wohl, wenn ich vier Beine hätte, im Paßgang oder im Kreuzgang gehen würde.

IX

UND JETZT GEHEN WIR ZU BRÖCKLES, SAGE ICH.

Die Giraffe schnaubt mißmutig und bleibt immer wieder stehen.

Keine Bange, sage ich, Bröckles sind nicht so wie Hasselblatts. Sie sehen das nicht so verbissen, obwohl es auch sie hart getroffen hat. Aber sie versuchen, das Beste daraus zu machen, falls du verstehst, was ich meine. Habe ich dir nie von Lydia und Jens-Peter Bröckle erzählt?

Die Giraffe hat wieder den Kopf in den Zweigen einer Linde.

Er ist Historiker, sage ich. Er war Historiker. Er hat in einem Museum gearbeitet. Er hat alles gewußt über die Revolutionen. Über die Große Französische Revolution und über die Oktoberrevolution. Wenn eine Ausstellung gemacht werden mußte über eine Revolution, dann hat immer er sie gemacht. Und Lydia hat ihm dabei geholfen, sie war seine rechte Hand, sie war seine Lieblingsstudentin, und er war ihr Lieblingsprofessor, sie hat zu ihm aufgesehen. Er hat sie dann sogar geheiratet, obwohl sie wesentlich jünger ist als er. Oder weil sie jünger ist. Anfangs ging das ja auch gut.

Aber im allgemeinen geht das niemals lange gut, wenn der Altersunterschied zu groß ist, verstehst du?

Nichts, keine Reaktion, die Giraffe frißt selbstvergessen. Erst als ich erzähle, daß Professor Bröckle auch alles über den Kolonialismus weiß, wird sie hellhörig, und sie trottet folgsam neben mir her und beugt den Schädel seitwärts herab, um nur ja jedes meiner Worte aufzuschnappen. Aber ich erzähle nichts vom Kolonialismus. Ich erzähle, daß Jens-Peter Bröckle in große Schwierigkeiten geraten ist, weil er öffentlich erklärt hat, daß die Wende keine Revolution gewesen sei. Er mußte es wissen, denn er wußte alles über die Revolution. Es wurde ihm verübelt, seine Widersacher griffen ihn in der Boulevardpresse an, und was das bedeutet, kannst du dir sicher vorstellen.

Die Augen der Giraffe schimmern treuherzig, woraus ich schlußfolgere – allerdings ohne es beweisen zu können –, daß sie es sich nicht vorstellen kann.

Er ist nicht evaluiert worden, sage ich. Das ist auch wieder so ein Wort, evaluiert, das habe ich noch nicht. Aber obwohl er nicht evaluiert wurde, ist er in eine Kommission gewählt worden, weil, er kannte sich aus. Denn sie wußten nicht, was sie anfangen sollten mit der Geschichte. Die Geschichte störte sie und daß sie überhaupt geschehen war. Am besten wäre gewesen, sie wäre überhaupt nicht geschehen. Aber da sie nun einmal geschehen war, sollte wenigstens nichts mehr an sie erinnern. Die Straßennamen sollten weg und die Schiffsnamen und die Denkmäler. Bröckle konnte sich allenfalls damit anfreunden, die Denkmäler zuwachsen zu lassen von Efeu. Dieser Vorschlag erschien ihm brauchbar, ja sogar schön, denn so blieb die Geschichte bestehen, unaufdringlich, leicht entrückt zwar, aber dennoch vorhanden, auf poetische Weise fast und dem Vergessen nicht gänzlich anheimgegeben, die Denkmäler waren in ihrer Häßlichkeit nicht erkennbar, denn sie waren natürlich häßlich, sie wurden verdeckt, aber waren noch zu ahnen. Die anderen grollten und geiferten, ihre Vorschläge waren martialisch. Sie wollten am liebsten jedes Denkmal sprengen, denk mal. Sie wollten die Denkmale, wenn Geschichte schon nicht gänzlich unabweisbar sei, vor die Tore der Stadt verpflanzen und einen steinernen Tierpark von geschichtlichen Ungetümen anlegen, Marx neben Lenin, Brecht neben Engels, Denkmal neben Denkmal, denk mal.

Aber die Giraffe denkt nicht mal, sie trottet im Paßgang neben mir her, blöde.

Da ist Bröckle der Kragen geplatzt, sage ich. Da hat Bröckle gesagt, sie sollen die Denkmale stehenlassen oder die Denkmäler, ich weiß nicht, das sind ja beträchtliche Materialwerte, das ist ja alles Bronze, das ist ja alles Marmor, ist ja schade drum, wenn man es wegsprengt, sagte Bröckle, sage ich, das kann man doch erhalten als Materialwert, und wenn man es wegtransportierte in die Vorstädte, das würde doch irrsinnige Kosten verursachen, die Tieflader, die Absperrungen, die alten Bundesländer haben eh schon genug zu bezahlen für die neuen Bundesländer, und der schöne Marmor, die schöne Bronze, da braucht man doch nur ein paar

Steinmetze ranzusetzen, die machen die Denkmale oder Denkmäler ein bißchen kleiner und ein bißchen anders, sie hacken etwas heraus, sie machen andere Köpfe und andere Gesichter, und so wird nach und nach, und das ist immerhin billiger, als wenn man das alles mühsam und umständlich modelliert hätte, aus einem Thälmannkopf ein Adenauerkopf, aus einem hochstehenden, weitblickenden Lenin ein hochstehender, weitblickender Bismarck, die Haltungen, die hehren, gelassenen, die Blicke in die Zukunft, die ungewisse, sichere, sind ungefähr die gleichen, was natürlich ahistorisch ist, falls du das nachvollziehen kannst, und Bröckle wurde natürlich, der Historiker, der sich so ahistorisch geäußert hatte, er war so voller Wut, nicht nur nicht evaluiert, sondern, da er untragbar war, sofort fristlos aus seiner Kommission entlassen, was ich verstehen kann, denn soviel verstehe ich auch von Geschichte.

Inzwischen sind wir an Bröckles Anwesen angelangt, ich habe die Giraffe, fürchte ich, intellektuell etwas überfordert. Aber nun, da wir vor dem Gartentor stehen, wirkt sie wieder gelöster, der Rasen lockt. Mit Lydia Bröckle ist die Giraffe gleich vertraut, sie schnüffelt an ihrem Haar. Der Geruch scheint ihr bekannt vorzukommen, er hängt wahrscheinlich noch immer in den Kissen meiner Wohnung, Giraffen haben so feine Geruchsnerven.

Unsere Begrüßung ist unbefangen. Ich küsse Lydia sogar auf die Wange. Ihn, Jens-Peter, sehe ich zum erstenmal seit seiner Entlassung. Er trägt eine alte, abgewetzte Lederjacke.

So ist das, sagt er, manchmal geht die Geschichte schneller als ihre Gesetzmäßigkeiten.

Er versucht zu lächeln, es mißlingt ihm. Er sieht noch älter aus als sonst, Lydia sieht noch jünger aus. Das kann auf die Dauer nicht gut gehen, das wird immer schlimmer, denn je älter er wird, um so jünger, scheint es, wird sie. Von unserer Affäre weiß er nichts, glaube ich. Es ist auch nicht wichtig. Sie war ja eher zufällig vorbeigekommen. Sie hat die dreckigen Fensterscheiben gesehen. Sie wollte sie unbedingt putzen. Dann ist sie von der Leiter gefallen und hat sich das Bein gebrochen. Eigentlich kann ich mit jungen Frauen nicht viel anfangen, vor allem wenn sie immer jünger werden. Es ist aber gut verheilt. In der letzten Zeit ist viel Zeit vergangen. Sie hinkt kaum noch. Sie zeigt mir die Gulaschkanonen, die auf dem Hof stehen. Es sind neunzehn. Ich habe noch nie neunzehn Gulaschkanonen auf einmal gesehen.

Bröckle hat sie aus alten Armeebeständen aufgekauft, erklärt Lydia, billig, ganz billig, es war eine einmalige Gelegenheit, zweihundert Mark pro Gulaschkanone.

Du hättest sie sicherlich auch gekauft, sagt Bröckle.

Natürlich, sage ich.

Wir haben nämlich einen Gulaschkanonenverleih aufgemacht, sagt Lydia, wir haben sogar inseriert. Gulaschkanonenverleih Bröckle. Wir können ja jetzt die Werbekosten von der Steuer absetzen.

Das Dumme ist nur, sagt Bröckle, im Moment leiht niemand Gulaschkanonen aus. Es sind lausige Zeiten.

Es kommt auch wieder anders, sage ich, es kann nicht so bleiben, es muß besser werden.

Ja, sagt Bröckle, es ist alles im Fluß. Und du?

Ich sammle die neuen Wörter, sage ich.

Auch gut, sagt Bröckle, jetzt muß jeder sehen, wo er bleibt. Es muß jeder das Beste daraus machen.

Wie findest du das Wort mega-light?

Mega-light? Nun lächelt Jens-Peter Bröckle doch noch, wider Erwarten. Mega-light finde ich sehr gut, sagt er. Er lacht sogar.

Wir müssen jetzt alle die Ärmel hochkrempeln, sagt er.

Ich habe plötzlich einen Schweißausbruch. Ich weiß auf einmal nicht, in welcher Jahreszeit wir sind. Teils blühen die Birnbäume noch, teils tragen sie schwere, gelbe Früchte. Von einem Birnbaum hat die Giraffe sämtliche Blätter abgefressen, die Bröckles haben sie gewähren lassen, der Baum ist kahl. Es ist auf einmal wie Winter, mich fröstelt plötzlich, aber wir sitzen noch immer im Garten. Hinter uns das Gartenhaus, das die Bröckles bewohnen, eine windschiefe Kate, vor uns, seitlich, das zweistöckige Haus, das leersteht, verfallen, einige Scheiben sind eingeschlagen, der Putz bröckelt ab. Es war einmal eine Kneipe, aber die Wirtsleute sind gestorben, die Dielen sind morsch, aber die Theke steht noch, es stehen sogar noch ein paar alte, leere Bierfässer, keiner weiß, wem das Haus eigentlich gehört, es haben sich niemals Erben gemeldet.

Andererseits, sagt Bröckle, es hat auch sein Gutes, es kann jeder noch mal von vorn anfangen, oder heißt es andernseits?

Ich weiß nicht, ob es andererseits heißen muß oder andernseits, es ist auch nicht wichtig, aber wir reden lange darüber. Wir kommen zu keinem Ergebnis. Bröckle geht dann zu der Giraffe hinüber, die schon auf ihn gewartet zu haben scheint. Sie ist sehr aufgeregt, sie tänzelt herum.

Der Ko, sagt sie, der Ko-ko-nio, sagt sie, und dann kommt, wie immer aus ihrem großen Maul, doch nur ein klägliches Konolialismus heraus.

Sie sieht das alles ein bißchen einfach, erkläre ich Lydia, typisch terrible simplificateur.

Terrible simplificatrice, meint sie. Nur ihre Augen lächeln ein wenig, und sie sieht wie ich zu Bröckle hinüber, der sich angeregt mit der Giraffe unterhält. Bröckle meint, daß es immer so gewesen sei. Bei der Kultur seien sie am unnachgiebigsten, da merzten sie alles aus, da schlügen sie alles kurz und klein, da machten sie alles plan, denn sie könnten nicht dulden, daß die Autochthonen überhaupt eine Kultur haben.

Au, sagt die Giraffe, au-to.

Autochthonen, sagt Bröckle.

Lydias Augen sind wieder groß und traurig geworden. Sie erzählt mir, daß Bröckle, da der Gulaschkanonenverleih nicht recht in Gang kommen will, sich vor lauter Langeweile an allen Auslosungen der Norddeutschen und Süddeutschen Klassenlotterie beteilige. Die Hälfte ihrer Ersparnisse seien schon aufgebraucht, aber sie hätten noch nicht eine Mark gewonnen. Auch mache er alle nur denkbaren Preisausschreiben mit. Da immerhin sei ein gewisser Erfolg nicht ausgeblieben. Er habe bereits ein Bügeleisen, zwei Waffeleisen und sieben City-Rucksäcke gewonnen. Und ein Faß Sauerkraut. Von der Sauerkraut-Firma Beyer und Co. Die Frage, die die Sauerkraut-Firma Beyer und Co. auf ihren Postwurfvordrucken gestellt habe, sei gewesen: Welches ist das beste Sauerkraut?

Ich sehe auf Lydias Knie, sie spürt meinen Blick, sie ist irritiert. Sie ist wirklich noch sehr jung.

Was meinst du, fragt sie, welches ist das beste Sauerkraut?

Ich überlege lange, ich bin sehr unsicher.

Es ist doch ganz einfach, sagt sie.

Das Sauerkraut der Firma Beyer und Co.? Ja? Ist es so? Ist das richtig? Ist das Sauerkraut der Sauerkraut-Firma Beyer und Co. wirklich das beste? Lydia? Was ist denn? Was hast du denn?

Sie schluchzt. Ich schiebe ihr mein Taschentuch zu. Als sie sich beruhigt hat, sagt sie:

Ich mache mir große Sorgen um ihn.

Sie versucht, den Rock über ihre Knie zu ziehen, aber es gelingt ihr nicht, der Rock ist zu kurz.

Warum bist du damals gekommen, will ich wissen. Warum wolltest du unbedingt meine Fenster putzen, warum hast du mit mir geschlafen?

Sie antwortet nicht. Sie zerrt nur an ihrem Rock herum. Sie lenkt ab. Sie redet plötzlich von Schlehwein. Bei ihnen war die Polizei auch schon und hat nach Schlehwein gefragt und wann sie ihn zuletzt gesehen haben und wie, ihrer Meinung nach, seine Meinung zu Eigentum, Recht und Besitz sei.

Nun ist auch die Giraffe herangetreten, sie hat mit ihrem feinen Gehör den Namen Schlehwein gehört. Schlehwein ist ihr wichtiger als der Konolialismus. Dann will mich Bröckle noch zum Mittagessen einladen, aber ich vertrage kein Sauerkraut, ich bekomme Blähungen. Die Giraffe käut die Birnenblätter wieder. Bröckles Händedruck ist fest.

Wir schaffen es, sagt er. Lydias Augen sind noch immer feucht. Wir entfernen uns langsam. Wir lassen alles zurück, es ist wie eine langsame, unendlich lange Rückfahrt. Wir lassen Lydias feuchte Augen zurück und Bröckles festen Händedruck. Und das Gartenhaus, in dem die beiden wohnen, und die alte Kneipe mit den eingeschlagenen Fenstern. Und die Birnbäume, die blühen und die schwere, gelbe Birnen tragen.

X

HAST DU FÜR HEUTE GENUG, FRAGE ICH, ODER SCHAFFST DU NOCH EINEN?

Wir trotten die Straße entlang. Ich versuche, im Gleichschritt mit der Giraffe zu gehen, aber es fällt mir schwer. Die Giraffe macht sehr große Schritte.

Schaffst du noch einen?

Die Giraffe nickt.

Der Abkürzung wegen eine rasche Ranfahrt mit der Kamera, obwohl ich diese schnellen Transfokatorfahrten nicht ausstehen kann, es sind diese billigen Effekte aus den Kriminalfilmen.

Kleingrube lehnt aus seinem Fenster im ersten Stockwerk, er hat garstige Zornesfalten auf der Stirn und einen etwas verkniffenen Mund. Vom ersten Augenblick an sind sich die beiden spinnefeind, auch wenn es, vom Bild her, seltsam anmuten mag, daß sich eine Giraffe und ein Archivar spinnefeind sind. Ich muß sie vor dem Haus stehenlassen. Es ist auch besser so, auch wenn sie vielleicht die Treppe hochgekommen wäre, so wäre sie die Treppe kaum wieder heruntergekommen, und welches Tier geht schon rückwärts, es sind nur wenige im Tierreich. Ab und zu schaut die Giraffe durchs Fenster herein.

Kleingrube ist zerzaust. Auch das große Zimmer, das er bewohnt, ist zerzaust. Überall liegen aufgeschlagene Bücher herum, Zettel, Zeitschriften, Fotokopien, Zeitungsausschnitte, Kassetten. Es ist ein wirrer Lesesaal, und Kleingrube hüpft krächzend herum wie ein Rabe. Er hat eine Lupe in der Hand. Er zeigt mir die Fähnchenschwenker auf den Zeitungsbildern und die Zujubler, die ihre kleinen Kinder hochheben, der Tribüne zu. Er zeigt mir einzelne Gesichter, durch die Lupe vergrößert. Dann legt er andere Bilder daneben von den montäglichen Volksaufläufen. Es sind die gleichen Gesichter. Es liest mir vor, was gestern gesagt wurde und was heute gesagt wurde von ein und demselben. Der gestern die Einweihung der millionsten Wohnung beweihräuchert hat, nennt die einstigen Führer in der gleichen Zeitung niederträchtige Verbrecher.

Der auf dem Bildschirm Recht und Gesetz predigte, um die Herrschaft der Greise zu zementieren, überführt nun die Greise als Kriminelle. Wahlfälscher sitzen in Aufsichtsräten. Stasi-Beamte tun Dienst beim Bundesnachrichtendienst. Aber er, Kleingrube, wird sie alle überführen. Er weiß alles von allen. Er ist schon ganz heiser. Er hat alles gesammelt, er hat Duplikate angefertigt, und er hat alles mitgenommen, als sie ihn entlassen haben. Er war nie in der Partei. Die ihn entlassen haben, waren alle in der Partei. Ich kann seine Verbitterung verstehen, ich versuche, ihn zu beruhigen.

Es ist eine genetische Frage, sage ich, sie können nicht anders, sie müssen sich immer wieder in den

Vordergrund drängen, sie müssen ständig das Sagen haben, sie haben die Demut nicht gelernt.

Aber Kleingrube ist nicht zu besänftigen. Er wütet weiter. Er wütet gegen die Mitläufer, die, wann immer sich eine günstige Gelegenheit bot, auch mal voranliefen und sich mit Orden behängen ließen, und nun wollen sie auf einmal alle Widersacher und Systemkritiker und Dissidenten gewesen sein. Doch er wird sie entlarven. Er wird sie alle entlarven.

Aber, sage ich, wir sind doch alle mitgelaufen, wir haben alle mitgemacht, mehr oder weniger, die Bäcker haben Brötchen gebacken, und die Fleischer haben Schweine geschlachtet und haben das System gestützt, denn wenn sie keine Brötchen gebacken und keine Schweine geschlachtet hätten, dann wäre das System schon eher zusammengebrochen, ich habe, wenn du so willst, auch das System gestützt, indem ich Flaschen zur Wiederverwertung angenommen habe, wir alle, ob bei der Wettervorhersage oder im Recycling, haben das Leben und somit das System in Gang gehalten.

Er, Kleingrube, nicht. Er hat gesammelt und archiviert. Seine Wangen, wenn ich mal so sagen darf, sind hektisch gerötet. Er nicht. Und Schlehwein nicht.

Sie suchen ihn, sagt er, bei mir waren sie auch schon.

Kaum ist der Name Schlehwein gefallen, taucht am Fenster prompt der Schädel der Giraffe auf. Kleingrube verscheucht sie. Er kann nicht verstehen, warum ich mit der Giraffe herumziehe. Ein so belastetes Tier.

Als die Giraffe abermals den Kopf durch das Fenster steckt, schreit Kleingrube sie an: Dich kriege ich auch noch!

Erschrocken weicht die Giraffe zurück.

Ich sehe aus dem Fenster. Ich sehe, wie die Giraffe langsam die Straße hinabgeht, traurig, beleidigt. Ohne mich zu verabschieden, lasse ich Kleingrube zurück zwischen seinen Zetteln und Fotokopien.

XI

UNTERWEGS HABEN WIR DANN NOCH RALPH B. SCHNEIDERHEINZE GETROFFEN, mit dem ich häufig verwechselt werde. Es war merkwürdig, wir waren uns nie vorher leibhaftig begegnet. Ich kannte ihn zumindest von Bildern, er dagegen wußte vermutlich nichts von mir, es sei denn, Kristina hat ihm von mir erzählt, was ich allerdings bezweifle. Er erschrak ein wenig, als ich plötzlich vor ihm stand. Wahrscheinlich erschrak er wegen der Ähnlichkeit, die ich mit ihm habe, was allerdings voraussetzt, daß er ein sehr genaues Bild von sich haben muß, denn gemeinhin werden Ähnlichkeiten und gar eine Doppelgängerschaft von anderen festgestellt. Er trägt Haare und Bart wie ich, auch stehen seine Ohren ab wie meine. Zudem trug er den gleichen grauen Pullover wie ich und den gleichen roten Schal, was mich leicht verblüffte und was ich, wenn ich angespannt darüber nachdenke, darauf zurückführe, und zwar mit einem gewissen Groll, daß Kristina ihn ebenfalls bestrickt haben muß. Allerdings ist er etwas kleiner als ich, was mich mit einer leichten Genugtuung erfüllt.

Ich war, von Kleingrube kommend, die Straße

hinuntergerannt, um die Giraffe einzuholen, die mit langen, geschmeidig-majestätischen Schritten vor mir herlief. Plötzlich aber blieb sie vor einem Mann stehen, der einen grauen Pullover und einen roten Schal trug. Sie senkte den Kopf und schnupperte an ihm wie an einem alten Bekannten, was der Mann zwar verstört, aber ohne nennenswerten Widerstand über sich ergehen ließ, zumal er nichts anderes zu tun hatte, als auf den Bus zu warten. Erst als ich herangekommen war, ließ die Giraffe von ihm ab.

Ein Irrtum, sagte ich, sie hat Sie vermutlich verwechselt, entschuldigen Sie bitte.

Wir standen Auge in Auge, der Fremde und ich. Er wirkte, als er sich von seinem Schreck erholt hatte, etwas unsicher, als sei der Nimbus seiner Einmaligkeit zerstört worden, was natürlich deprimierend ist, vor allem in dieser wirren Zeit. Zum Glück kam der Bus und erlöste uns von unseren Mißverständnissen.

Das war der Schriftsteller Ralph B. Schneiderheinze, erklärte ich der Giraffe. Sie reagierte nicht. Wahrscheinlich war es ihr peinlich, daß sie ihn mit mir verwechselt hatte. Oder aber sie interessierte sich nicht für ihn, da sein Geruch ihr nichts bedeutete. Ich konnte erzählen, was ich wollte.

Schneiderheinze ist weg vom Fenster, sagte ich, auch seine Bücher sind weg aus dem Schaufenster, sie liegen jetzt auf den Müllhalden. Dabei waren sie nicht schlecht, wenngleich etwas moderat. Er hat immer kreuzbrave Bücher geschrieben, die er allerdings für sehr kritisch hielt. Er glaubte ständig, den Bogen zu überspannen, nur merkte es keiner, denn seine Kritik war so maßvoll, so versteckt und verschlüsselt, daß sie nicht wahrgenommen wurde. Er dachte, es sei schon dissidentisch, wenn er nicht so schrieb, wie es höhernorts gewünscht, ja verlangt und gefordert wurde. Um die Zensur scherte er sich nicht, er praktizierte sie selber, falls du verstehst, was ich meine. Von seinen Büchern, so gemäßigt sie waren, lebte er auskömmlich, und er war wohlgelitten. Gelegentlich lud man ihn zu Lesungen ein, und zwei- oder dreimal ließ man ihn in ein anderes Land fahren, aber er kam immer zurück. Er fiel nicht sehr auf, er tat sich kaum hervor und wurde nur selten genannt. Nie hat er Schelte bekommen, aber auch nie Preise. Es hat ihm nichts genützt. Aber es hat auch den anderen, die das Maul aufgerissen haben, nichts genützt. Sie stehen alle am Pranger, und ihre Bücher werden nicht mehr gedruckt, hörst du mir überhaupt zu?

Ich weiß nicht, warum ich der Giraffe das alles erzählt habe. Doch wem hätte ich es sonst erzählen sollen. Alle haben nur noch mit sich selber zu tun und mit ihren Steuererklärungen, Geldanlagen, Lebensversicherungen. Und was mir erzählt wurde, muß ich weitererzählen, dafür ist es ja da. Mir selber hat es Kristina erzählt.

Wie Kristina an Ralph B. Schneiderheinze geraten ist, weiß ich nicht. Ich erinnere mich nur, es war, als unsere zweite Ehe sich dem Ende zuneigte. Wahrscheinlich ging es ihr wie der Giraffe, sie verwechselte Schneiderheinze mit mir aufgrund der Ähnlichkeit. Und er war vermutlich dankbar, mitten auf der Straße von einer wildfremden, schönen Frau angesprochen zu werden, er hielt sie offensichtlich, kurzsichtig wie er war, für eine seiner begeisterten Leserinnen. Es muß ein großer Glücksfall für ihn gewesen sein, und er hatte leichtes Spiel bei ihr, was wohl, ohne daß ich mir schmeicheln will, auch darauf zurückzuführen ist, daß sie in ihm immer mich sah, wodurch ihr die Trennung von mir, so sehr sie sie auch gewünscht hatte, leichter fiel. Einfach für ihn war es auch insofern, als unsere Zerwürfnisse übergroß geworden waren. Wir gingen uns auf die Nerven, wir konnten uns kaum noch ausstehen. Es war schon alles gesagt, es war schon alles erlebt, wir hatten uns ausgeliebt. Es waren nur noch Wiederholungen, es kam nichts Neues mehr hinzu. Vor allem verdrossen mich ihre hochtrabenden Pläne. Sie fühlte sich ständig verkannt. Sie wollte keine kleinen Rollen mehr spielen. Sie lehnte alle Angebote beim Fernsehen ab. Wurzen, nichts als Wurzen. Sie wollte die Hedda spielen und die Lady Macbeth. Sie wurde immer hysterischer. Sie kränkte mich und beschimpfte mich, wann immer sich eine Gelegenheit bot. Meine Mittelmäßigkeit, meine Genügsamkeit, wie sie es nannte, verdroß sie sehr. Dennoch habe ich nie verstanden, was sie an Schneiderheinze fand. Vielleicht hatte sie gehofft, daß etwas von seinem Ruhm, wie geringfügig und zweifelhaft er auch war, auf sie fallen würde, denn sie wollte hoch hinaus. Vielleicht hatte sie gehofft, daß sie durch ihn verewigt werden würde, denn sie hatte wohl bald begriffen, daß er ein durch und durch phantasieloser Mensch war, der nichts erfinden konnte und nur beschrieb, was er erlebt hatte.

Der Schriftsteller Ralph B. Schneiderheinze, sagte ich zu der Giraffe, hat dann, als sich alles in rasanter Weise zuspitzte, selber einen Zahn zugelegt. Er schrieb an einem neuen Buch, in dem er wirklich sagen wollte, wie es wirklich ist. Er wurde immer mutiger. Er nahm überhaupt keine Rücksicht mehr, auf niemanden, nicht einmal auf sich selber. Er riskierte, so muß es ihm vorgekommen sein, Kopf und Kragen. Aber es mußte sich etwas ändern, es war unausbleiblich, es ging so nicht weiter. Eine Wende mußte kommen, und er wollte mit seinem Buch die Wende vorbereiten. Er schrieb und schrieb, atemlos, hektisch. Aber die Wende kam schneller, als er schreiben konnte, um die Wende vorzubereiten. Am liebsten wäre es ihm gewesen, es wäre, so sehr er die Wende auch herbeisehnte, langsamer gegangen mit ihr, damit er sie noch gebührend hätte vorbereiten können mit seinem Buch. Aber ehe er auch nur andeutete, daß es knisterte im Gebälk, zerfiel schon alles. Ehe eine seiner Romanfiguren noch ernstlich ihr Gewissen prüfte, ob sie die Republik verlassen sollte, war schon die halbe Republik davongelaufen. Ehe er noch seine Zweifel anmeldete an der historischen Mission der Partei, war die Hälfte der Genossen schon ausgetreten. Ehe er seine Gestalten couragiert und unverblümt die Wahrheit ins Telefon sprechen ließ, waren die Couragiertesten schon eingedrungen in die Zwingburg in der Normannenstraße. Es ging alles schneller, als es einer wie Ralph B. Schneiderheinze schreiben kann. Wer zu spät kommt mit seinem Buch, den bestraft die Zeitung. Eigentlich tut er mir leid mit seinem grauen Schafwollpullover und mit seinem roten Schal.

Aber andererseits oder andernseits finde ich das alles auch sehr komisch, sagte ich. Sagte ich zu der Giraffe.

Aber da waren wir schon wieder in unserer Straße mit den rauchenden, stinkenden, überquellenden Mülltonnen. Da waren wir schon wieder vor unserem Haus, von dem der Putz bröckelt. Und die Giraffe knickte die Vorderbeine ein und schob, den Hals verdrehend, den Kopf durch die Tür. In unseren überhohen Gemächern dachten wir wohl, jeder für sich, noch ein wenig nach über die Hasselblatts, die Bröckles, Kleingrube und den Dichter Ralph B. Schneiderheinze. Es war fast zuviel für einen Tag.

Manchmal, wenn man schreibt, trifft man nicht einen einzigen Menschen. Und dann wieder, wenn man durch die Straßen geht, gleich so viele. Und es sind lauter Fallstudien.

XII

FRAGEN ÜBER FRAGEN, WENN ICH SO SITZE. Warum hat die Polizei bei den Freunden nach Schlehwein gefragt? Weshalb hat er sich so überstürzt aus dem Staub gemacht? Ist es eine Flucht gewesen? Vor wem und wovor? Warum hat Kleingrube so allergisch auf die Giraffe reagiert? Und der Briefträger, wieso war er so irritiert, als er der Giraffe gegenüberstand, und hat behauptet, sie könne sprechen, ohne daß er sie hat sprechen hören? Und warum hat die Giraffe gescheut, als sie den Briefträger gesehen hat? Kennen sie sich von früher? Wieso verweigert die Giraffe jede Auskunft über ihre letzten Lebensjahre? Was hat sie zu verbergen? Hat sie Dreck am Stecken? Hat sie sich schuldig gemacht? Stecken gar Schlehwein und die Giraffe unter einer Decke? Fragen über Fragen, und ich ertappe mich dabei, in den neuen Wörtern zu denken. Ist die Giraffe eine Altlast? Gehören sie und Schlehwein zur gleichen Seilschaft oder gar zu derselben?

Die Giraffe hüllt sich in Schweigen, ich kann fragen, was ich will. Ich weiß nicht, welche Einstellung die Giraffe hat, zur Wende beispielsweise. Eigentlich müßte sie doch froh sein. Endlich keine

Gitter mehr und keine Dressuren. Endlich frei und genug zu fressen. Statt dessen höre ich von ihr nur das ewige Genöle über den Konolialismus. In jedem jungen Mann, der mit dynamisch-federnden Schritten über die Straße geht und eine Krawatte trägt und einen vernünftigen Haarschnitt mit Scheitel, sieht sie einen Konolialherrn. Und dabei sind es nur Versicherungsbeamte oder Bankangestellte.

Das hat dir wohl Schlehwein eingeblasen, sage ich. Ich muß die Giraffe herausfordern, ich muß sie in die Enge treiben.

Schlehwein hat sehr verkorkste Ansichten, sage ich. Wenn es nach ihm gegangen wäre, dann wäre alles beim alten geblieben, er hat sich herausgehalten, wir haben uns zwar auch herausgehalten, aber er hat sich besonders herausgehalten, und er hat sogar eine Philosophie daraus gemacht, er hat über die Wende nur müde gelächelt in seiner abgeklärten Art, sage ich laut und hohnlachend, beinahe aggressiv.

Die Giraffe, das hörend, beginnt zu schnauben und auszuschlagen nach mir, und als ich zurückweiche, rafelt sie, den Schädel herunterbeugend, mit den fellbewachsenen Hörnern an der Wand entlang, daß es schabt und knirscht, und versetzt den Aktzeichnungen, die in Holzrahmen hängen, kleine Schläge, daß sie zu wackeln und zu schwingen beginnen. Ein durchtriebenes Tier, die Giraffe, sie weiß genau, wie sie mich am besten treffen kann. Die Bilder schwingen hin und her, eines fällt herunter, das Glas zerbricht.

Laß das, herrsche ich sie an, sie sind von deinem

Idol gemalt, du wirst dich doch nicht an seinen Werken vergreifen, und außerdem, damit du es weißt, Kristina hat damit nichts zu tun, nicht das geringste.

Das Bild ist unversehrt, ich sammle die Scherben auf, das Tier weicht in die Ecke zurück.

Ich weiß nicht, was er dir erzählt hat. Wahrscheinlich hat er dir erzählt, daß ich sie ihm ausgespannt habe. Der beste Freund spannt dem besten Freund die Frau aus. Aber es stimmt nicht. Es ist anders gewesen. Und außerdem, es ist Schicksal. Liebe ist immer Schicksal, das kannst du mit deinem unterentwickelten Sexualleben nicht ermessen. Ja doch, ja, es war in seinem Atelier, das gebe ich zu. Ich habe sie in seinem Atelier zum erstenmal gesehen, sie war gleich nackt. Das weißt du wahrscheinlich nicht, Schlehwein wohnte damals noch in Berlin, und er zeichnete damals noch Akte. Ich kam unverhofft. Geh schon rein, sagte Schlehwein, ich mache Tee. Sie saß auf einem Stuhl und hatte nichts an. Tag, sagte ich. Tag, sagte sie und lächelte ein wenig. Ich wußte nicht, wie ich mich verhalten sollte. Ich trat an die Staffelei und sah mir die Zeichnung an. Schön, sagte ich. Sie kam langsam heran. Die Zeichnung? Finden Sie? Sie hat später behauptet, ich hätte mir unablässig am rechten Ohr gezupft, welches etwas mehr absteht als mein linkes. Was ist schon die Kunst gegen die Natur, soll ich gesagt haben. Es war plump. Aber trotzdem. Sie hat es nie vergessen. Als Schlehwein mit dem Tee kam, war es schon zu spät. Die ersten zwanzig Sekunden entscheiden alles, das mußt du dir merken. Zieh ruhig was über, sagte Schlehwein. Sie tat es. Wir sprachen kaum, nur Schlehwein redete unentwegt, als wolle er auf sich aufmerksam machen, und er sah die Aktzeichnungen durch und nickte in einem fort und stülpte anerkennend die Lippen. Sie und ich, wir sahen uns nicht an und sahen uns doch an. Es war etwas in dem Raum, von dem ich nicht wußte, was es war, etwas Immaterielles, etwas Unerklärliches, ein Gefühl vielleicht. Wir waren beide getroffen, das gibt es wirklich, das kannst du in jedem Groschenroman nachlesen, dagegen ist nichts zu machen. Kaum hatte ich meine Tasse ausgetrunken, bin ich gegangen. Ich verabschiedete mich nur knapp. Ich konnte die ganze Nacht nicht schlafen, bin immer wieder aufgestanden und habe mich an den Schreibtisch gesetzt. Ich war damals noch Aushilfskorrektor, weißt du, ich setzte vor allem Kommas, die meisten verstehen von Kommas nicht das geringste. Schlehweins Atelier habe ich gemieden, das kannst du mir glauben, aber ihre Augen haben mich überallhin verfolgt, das kannst du mir auch glauben. Alles weiter kam von selbst.

Ich hatte jahrelang zur Untermiete gewohnt. Eines Tages erhielt ich eine Benachrichtigung vom Wohnungsamt, ich fuhr sofort in das Neubaugebiet. Es gab noch keine Straßen, und ich watete in meinen Halbschuhen durch die Pfützen, ich versank bis zu den Knöcheln im Schlamm. Es war ein naßkalter Novembertag, ich fror. Aber das Haus stand schon, hinter einigen Fenstern hingen bereits Gardinen. An der Klingelleiste noch keine Namen, nicht einmal der des Hausmeisters, bei dem ich mich melden sollte. Ich klingelte aufs Geratewohl, und prompt ertönte der Summer. Es roch nach Kalk und Latex. Kein Fahrstuhl, ich stieg die Treppen hoch und hinterließ gelbe Schuhspuren. In der vierten Etage stand die Tür der Wohnung 0403 einen Spalt offen. Gershwin-Musik drang aus der Wohnung, Wärme. Ich klopfte. Es ist offen, rief sie. Ich stutzte. Es war ihre Stimme. Sie trug schwarze Unterwäsche, ob du es glaubst oder nicht, die Wohnung war überheizt. Rascher als ich faßte sie sich. Ziehen Sie bitte die Schuhe aus, sagte sie, der Teppich. Es lag aber kein Teppich da. Es standen nur Kisten herum, ein Klavier, ein Plattenspieler, Teile eines halb montierten Kleiderschranks und natürlich das breite Bett mit den Verstrebungen aus Messing, das sie später, wenn sie auszog nach unseren Scheidungen, immer mitnehmen wollte, aber schließlich doch mir als dem Seßhafteren überließ. Der Teppich, ziehen Sie bitte die Schuhe aus. Das war alles, was sie sagte. Ich wollte ihr immerzu erklären, daß ich eine Zuweisung für die Wohnung 0503 hatte. Seien Sie still, sagte sie, seien Sie still. Wir kamen nicht einmal dazu, uns zu entkleiden. Wir lagen auf dem breiten Bett, und wir waren beieinander, ohne beieinander zu sein. Wir hatten uns nicht einmal berührt. Wir lagen aneinandergepreßt, sie in ihrer schwarzen, Wäsche und ich in meinen harten, alten Jeans, und sie sah mich ungläubig an. Wir wußten nichts voneinander. Sie lag auf mir und bewegte sich gegen mich. Ich hielt mich an den Messingstäben des Bettes fest. Ich stöhnte vor Schmerz, ich war wund, ich verfluchte die Jeans.

Als es klingelte, stöhnte auch sie, und sie bewegte sich immer heftiger. Armer Schlehwein, dachte ich. Und dabei wußte ich gar nicht, ob sie seine Geliebte war oder sein Modell. Sie hat nie auf die Frage geantwortet, die ich nie gestellt habe. Seltsam, sie war vom ersten Augenblick an nackt. Und der erste Orgasmus in Kleidern. Und als sie duschte, fragte sie: Was meinen Sie, wollen wir nicht heiraten?

Aber ich weiß gar nicht, wieso ich mich vor dir rechtfertige.

XIII

ALSO WAS IST, SAGE ICH UNGEDULDIG, wohin bist du gekommen,als sie dich aus dem Zoo herausgeholt haben? Wurdest du in den Zirkus gesteckt? Haben sie dich dressiert? Haben sie dich manipuliert? Hast du mitgemacht? Warst du voll in das System integriert?

Nichts. Keine Reaktion. Hartnäckiges Schweigen der Giraffe.

Schlehwein war nie in das System integriert, sage ich, Schlehwein nicht, das solltest du wissen, und wenn er sich mit den neuen Verhältnissen nicht anfreunden konnte, so bedeutet das noch lange nicht, daß er ein Freund der alten Verhältnisse gewesen ist. Schlehwein war immer dagegen. Er hat, als er das Aktzeichnen aufgab, ganz schlimme Bilder gemalt. Ich meine nicht seine Porträts von Männern mit abstehenden Ohren und seine wehmutsvollen Oderbruchlandschaften. Ich meine die Müllhalden und Autofriedhöfe, in düsteren Farben gemalt, und zwischen den Abfallbergen und den abgerissenen Kotflügeln standen Männer mit steifen Hüten und Pelzmänteln und Trenchcoats und Ledermänteln, wie auf Tribünen thronend, und winkten dem Volk, den Betrachtern der Bilder, leutselig zu. Die Ähnlichkeit mit den greisen Machthabern war unverkennbar. Sie war ein Skandal, sie war sein Verhängnis.

Schlehwein hat uns mitten in der Nacht geweckt. Er klopfte ans Fenster, wir hatten damals schon diese Parterrewohnung, es war während unserer zweiten Ehe, wir schliefen Haut an Haut, er sagte: Ihr müßt mir helfen. Wir zogen uns etwas über und folgten ihm. Er hatte einen Schlüssel zu den Ausstellungsräumen. Kristina hielt die Taschenlampe, und wir hängten die Landschaften ab und die Greise und Müllhalden auf. Schlehwein feixte die ganze Zeit und schnipste triumphierend mit den Fingern. Er wurde noch während der Vernissage verhaftet. Und wir standen stumm da, in kleinen Plaudergrüppchen, die Rotweingläser noch in der Hand. Später, irgendwann nach der Wende, habe ich ihn gefragt, ob er nie auf den Gedanken gekommen sei, sich rehabilitieren zu lassen. Von wem denn, sagte er, von den neuen Machthabern? Er lachte. Er lachte so sehr, wie ich damals gelacht haben muß, als mir Onkel Alfred allen Ernstes vorschlug, ich solle mein Studium fortsetzen, und das in meinem Alter. Ja, so war das. So ist das gewesen mit Schlehwein. Er hatte mit den Alten nichts am Hut, und er hat, oder soll ich sagen: hatte? mit den Neuen nichts am Hut. Aber du? Was ist mit dir? Was weiß ich überhaupt von dir? Rede jetzt endlich, du kannst doch reden. Wie hast du's mit den alten Männern gehalten?

Nichts. Die Giraffe steht nur da. Ich muß sie testen, ich muß ihr auf den Zahn fühlen. Ich erzähle der Giraffe von den Neubauten.

Auf die Neubauten, sage ich, waren sie immer besonders stolz. Sie taten immer so, als hätten sie den Bewohnern die Neubauten geschenkt, einfach so, aus einer Spenderlaune heraus, großherzig wie sie waren. Obwohl sie sehr stolz auf die Neubauten waren, wohnten sie selber nicht in den Neubauten. Sie wohnten in kleineren Häusern, im Grünen. Sie hatten gekachelte Bäder, und die Armaturen waren aus Chrom und aus Schweden. Die Bäder in den Neubauten waren nicht gekachelt, ich weiß es, ich kenne die Wohnungen 0403 und 0503 zwischen den Pfützen in Hellersdorf, und die Armaturen waren aus Plast und aus Bitterfeld, und die Lampen waren nicht vom Kudamm, und die Einbauschränke waren nicht aus Holz, sondern aus gepreßten Sägespänen, was die Machthaber aber nicht wahrhaben wollten. Manchmal besichtigten sie die Neubauten. Sie wollten dann immer, daß alle sahen, wie es bei allen zu Hause so war, wie es bei ihnen selber zu Hause war, obwohl niemand genau wußte, wie es bei ihnen war. Sie besichtigten die millionste Neubauwohnung, und sie wurde rasch so hergerichtet, wie sie die Wohnungen gewöhnt waren und wie sie sie gern sahen, mit gekacheltem Bad und mit Armaturen aus Chrom und aus Schweden und mit richtigen Holzmöbeln und Kühlschrank von Quelle. Und sie kamen vorgefahren zu den neuen Bewohnern. Sie waren sehr stolz auf sich, und das fröhliche Ehepaar mit den munteren Kindern war sehr glücklich, und die Stimmung war prächtig, und sie ließen sich fotografieren, und sie hatten Zeitungsschreiber mitgebracht, die schrieben seitenlang über die millionste Wohnung und über die zufriedene Familie und über das Glück und über die glücklichen Besichtiger des Glücks. Danach zog in die millionste Wohnung der Alltag ein, und es wurden die Wasserhähne ausgetauscht und die schönen Möbel, Lampen, Geräte ersetzt von landesüblichen, so. Und dann kam auf einmal alles anders. Es hatte kaum noch jemand damit gerechnet, daß es noch einmal anders kommen könnte. Die immer so stolz waren auf die Neubauten, welche sie ihrem Volk geschenkt hatte, saßen auf einmal klein und verängstigt in ihren Häuslein im Grünen und montierten die Wasserhähne aus Chrom und aus Schweden ab und schraubten die Armaturen aus Plast und Bitterfeld an, und sie hatten auch nicht diese formschönen Mikrowellengeräte aus dem Quelle-Katalog und den schicken Buntfernseher vom Otto-Versand, sie hatten immer bloß diese schlichten Brotröster für siebenunddreißig fünfzig, sie hatten auch keine richtigen Ölgemälde, sondern sie hatten diese schäbigen Drucke, wie sie in den Neubauten hängen, das Schokoladenmädchen, die Sonnenblumen. Und mit denen willst du das geringste im Sinn gehabt haben, bloß weil sie die gerufenen Invasoren mit ihren Glasperlen Kolonialisten nennen, das kann nicht dein Ernst sein, sie haben die Potemkinschen Dörfer erfunden und sitzen nun selber in ihnen, allerdings in ganz schäbigen, und sie ließen sich, erzählten sie überall herum, von der Mama Bemmen schmieren, von Mama Margot und von Mama Gisela, sie waren einfach einfache Menschen wie du und ich, es klapperte nur so von

Brotbüchsen im Politbüro. Aber die Zeitungsschreiber haben sie entlarvt, und es sind die gleichen, die schon jubelnd über die millionste Wohnung geschrieben haben, es sind nicht nur die gleichen, es sind dieselben, aber sie haben nie über die millionste Wohnung geschrieben, o nein, und auch nicht über den Jubelmai, sie haben auch nicht gejubelt im Mai, es hat überhaupt niemand gejubelt im Mai und im Oktober, hör auf zu scharren, und niemand hat die fähnchenschwenkenden Kinder auf den Schultern getragen, hör auf zu schnauben, nicht einmal die Kinder haben Fähnchen geschwenkt, und Fackeln auch nicht, niemand, nichts, hör auf, hör endlich auf.

Leck mich am Arsch, sagte die Giraffe. Und da ist es wieder, das Wärter-Idiom, wie ich es liebe. Sonst nichts. Ich komme und komme nicht weiter. Wahrscheinlich muß ich die Taktik ändern. Ich muß sie locker machen. Ich muß sie aufheitern. Ich darf nicht so aggressiv sein. Ich muß den Ton wechseln. Ich muß Psychotherapie mit ihr machen. Psychotherapie mit einer Giraffe. Ich muß ihr Vertrauen gewinnen. Wenn ich ihr alles sage, dann sagt sie vielleicht auch alles.

Ich muß einfach erzählen.

XIV

IN MEINER NEUBAUWOHNUNG HATTEN DIE BAULEUTE EINE SCHUBKARRE EINGEMAUERT, SAGE ICH. Ich wohnte in der Wohnung 0503, Kristina in der Wohnung 0403, wir nahmen es als Schickung. Da unsere Wohnungen übereinanderlagen, wurde früh schon Kristinas Herzenswunsch geboren, ein großes Loch in die Decke zu hacken und eine Wendeltreppe einzubauen, denn der Maisonette-Stil erschien ihr damals schon als der Inbegriff erstrebenswerter Behaglichkeit, als absolute Spitze, wie sie sich ausdrückte, obwohl sie zu jener Zeit Onkel Alfreds Wohnung noch nicht gesehen hatte. Aber ich habe mich nie darauf eingelassen, damals nicht und auch später nicht, als wir hier einzogen, in diese überhohe Parterrewohnung, sei froh, sonst hättest du jetzt keine Bleibe. Manchmal denke ich, unsere mehrmaligen Ehen sind deshalb gescheitert. Aber das allein kann es wohl doch nicht gewesen sein.

Unsere Wohnungen waren gleichgroß, so schien es. Einmal liebten wir uns in der Wohnung 0403, andermal in der Wohnung 0503. Ich wollte immer, wenn wir beieinanderlagen Oh Kristina sagen. Aber ich wußte ihren Namen nicht. Ich konnte nur Oh sagen und ein wenig stöhnen. Auch sie konnte nur Oh sagen und dann seufzen. Sie wußte meinen Namen nicht. Namen sind Schall und Rauch. Sagte sie. Danach. Sie wollte danach immer Kaffee trinken. Starken, schwarzen Kaffee. Am liebsten türkisch. Der Löffel mußte stehen.

Und was machen Sie sonst?

Sonst? Ihr Lächeln kam aus einer großen Entfernung.

Ich spiele, sagte sie leise. Haben Sie das nicht gewußt? Hat er Ihnen das nicht erzählt? Haben Sie mich nie gesehen?

Sie stand auf und schlang sich die schwarze Stola um den Leib. Mit gemessenen, beinahe feierlichen Schritten ging sie durch den Raum, blieb stehen, ging weiter, wandte sich um. Sprach: Es war kein Irrtum, eine Schickung war's. Sprach: Siehst du dort die Sonne am Himmel niedergehen – so gewiß sie morgen wiederkehrt in ihrer Klarheit, so unausbleiblich kommt der Tag der Wahrheit. Sprach's pathetisch, ich sah sie fragend an.

Johanna?

Frage nicht, sprach sie, ich bin in deiner Macht, bestimme mein Geschick.

Aber plötzlich warf sie die Stola von sich und rückte zwei Kisten aneinander. Die zwei Kisten waren eine Balkonbrüstung. Ihre Stimme war klein und zart.

Ihr küßt, als müss' es so geschrieben stehen, hauchte sie. Noch keine hundert Worte sog mein Ohr von deinen Lippen, und ich kenn' die Stimme.

Sie tat meinen Einwand, daß dies vor der Balkonszene sich zugetragen habe, mit einer lässigen Handbewegung ab. Sie war atemlos.

Wie kamst du bis hierher, sprich, und warum, die Gartenmauer ist hoch und schwer erklimmbar, was hat dich hergeführt an diesen Ort?

Sie warf die Kisten um. Sie hatte ein rotes Kleid an, ich schwöre. Sie hatte eine Pistole in der Hand, ich könnte schwören. Sie spielte mit der Pistole, die ein Zeichendreieck war. Sie lächelte eiskalt.

Sie sind sicher ein gefährlicher Mensch, wenn es darauf ankommt, sagte sie leichthin. Und man kann herzlich froh sein, solange man Ihnen nicht mit Haut und Haaren ausgeliefert ist.

Und wieder sah sie mich erwartungsvoll an. Diesmal brauchte ich länger. Aus den zwei Sätzen hätte ich es nie und nimmer erraten. Aber da sie ungeduldig mit einer Pistole spielte und ständig auf irgend etwas zielte, kam mir ein Verdacht.

Es ist die Pistole Ihres Vaters?

Eine Befreiung, zu wissen, daß doch noch eine freiwillige Tat des Muts in dieser Welt geschehen kann, sprach sie. Eine Tat, auf die unwillkürlich ein Schimmer von Schönheit fällt.

Ihr Tonfall war gelangweilt, spöttisch, hochmütig.

Hedda?

Sie sah mich ungläubig an, lange. Plötzlich hatte sie Tränen in den Augen. Ich wunderte mich, ich konnte es nicht verstehen. Ich habe es erst später verstanden. Sie hatte sich, blitzschnell, als sie die dritte Rolle spielte, etwas eingeredet. Sie hatte Schicksal gespielt. Wenn er es herausbekommt, hatte sie sich gesagt, dann will ich ihn lieben bis ans Ende meiner Tage. Sie hatte es gehofft und befürchtet. Sie hatte es gehofft, damals noch.

Sind Sie Tesman? Sind Sie Ejlert Lövborg? Sind Sie Brack?

Ich weiß nicht, sagte ich, ein bißchen spießig, pedantisch, oberlehrerhaft wie Tesman, ein bißchen zynisch und kaltschnäuzig und schleicherisch wie Rechtsanwalt Brack, und natürlich möchte ich gern verworfen sein und geniehaft wie Ejlert Lövborg, noch verworfener und geniehafter, als ich es bin.

Sie lachte auf, als ich ihr sagte, daß ich ein Kommasetzer bin.

Lachen Sie nicht, sagte ich. Kommas sind wichtig. Es ist ein gewaltiger Unterschied, ob man sagt: Ich vögele Sie auch, wenn Sie mich nicht lieben, oder ob man sagt: Ich vögele Sie, auch wenn Sie mich nicht lieben. Man kann mit den Kommas den Sinn verändern. Es sind die Nuancen, die zählen im Leben, falls Sie verstehen, was ich meine.

Sie verstand es. Sie tat zumindest so. Ich hielt ihren Blick aus.

Hauptsache, Sie langweilen mich nicht, sagte sie. Wenn Sie mich langweilen, dann geht es schief.

Unsere Wohnungen waren nicht gleichgroß, obwohl sie genau übereinanderlagen und, wie aus den Größenangaben der Unterlagen hervorging, zum gleichen Wohnungstyp gehörten. Meine Wohnung war kleiner als ihre, sie hatte nicht diese Abstellnische im Flur, die Wand ging glatt durch. Als ich einen Nagel einschlagen wollte, wurde ich stutzig. Es war eine dünne Gipsplatte. Sie war so dünn, daß im Nu statt des Nagels ein Loch in der

Wand war. Einige Hammerschläge noch, und das Loch war riesengroß. Wir leuchteten hinein. Hinter der Gipswand war die Abstellnische. Wir rissen die Gipswand vollends ein. Wir trauten unseren Augen nicht. In der Abstellnische standen fünf Säcke Zement und eine Schubkarre. Wir zuckten die Achseln und rätselten. Als wir zusammen frühstückten, wußte sie schon alles. Wir haben immer lange gefrühstückt, manchmal zwei, drei Stunden, von elf bis halb vier, wenn sie nicht zur Probe mußte, ich konnte meine Kommas auch nachts setzen.

Das ist doch ganz einfach, sagte sie, sie hatten die Gipsplatten noch oben in der fünften Etage und die Schubkarre und die fünf Sack Zement, und da war es bequemer, die Wand einzuziehen, statt das alles hinunterzuschleppen ohne Fahrstuhl, und außerdem war Bauabnahme, sie wollten ihre Prämie, es mußte alles rechtzeitig fertig sein und sauber übergeben werden. Sie streute sich Salz aufs Ei. Viel Salz. Sie streute sich immer viel Salz aufs Ei.

Meinen Sie?

Es ist so, sagte sie. Das gibt es nirgendwo auf der Welt, die Leute hier haben so viel Phantasie entwickelt. Ein herrliches Land. Hinter jeder Wand lauert eine Überraschung.

Ich mußte sie mit der Schubkarre zum Standesamt fahren. Es war eine Filmszene.

Und Sie haben kein festes Engagement?

Sie schüttelte den Kopf. Sie wollte keine Rollen spielen, die sie nicht spielen wollte. Sie wollte auch nicht mit Regisseuren schlafen, um die Rollen spielen zu können, die sie spielen wollte. Wenn sie

Geld brauchte, sagte sie ein paar Sätze in irgendwelchen Fernsehspielen auf. Sie genoß es, daß ich sie in der Schubkarre durch die Straßen fuhr, in ihren verwaschenen Jeans und in ihrem Brautschleier, auf dem sie bestand. Die Leute blieben stehen. Die Hunde liefen uns hinterher. Ihren Namen erfuhr ich von dem Standesbeamten. Ja, sagte ich leise. Ja. Die Feier fand in Schlehweins Atelier statt. Unsere Hochzeitsfeiern fanden immer in Schlehweins Atelier statt. Es muß eine Zumutung für ihn gewesen sein, aber er konnte seinem Modell nichts abschlagen.

Auf unseren Hochzeitsfeiern wimmelte es von Ethnologen, Sinologen, Soziologen, Meteorologen, Archivaren und Bibliothekaren, die durcheinandertanzten und durcheinandertranken und durcheinanderredeten. Es waren immer die gleichen. Sie redeten auch immer das gleiche. Sie ahnten nicht, daß sie in der Blüte ihrer Jahre oder später, als sie schon Ischias und Magengeschwüre hatten und den ersten Infarkt hinter sich und eine Totaloperation, daß sie alle blaue Briefe bekommen würden. Sie tranken, als könne ihnen nichts geschehen. Sie tanzten, als müsse es ewig so weitergehen. Sie tanzten Polonaise durch das geräumige Atelier, die gesicherten Existenzen. Sie konnten nicht ahnen, daß einer von ihnen, der das Wetter vorhersagte, einmal Würstchen verkaufen würde an der Straßenecke, und daß ein anderer, der alles wußte über die Revolutionen, von seinem ersparten Geld zwanzig Gulaschkanonen aufkaufen würde. Sie lachten, redeten, tranken. Dazwischen ein trauriger Maler mit einem Kreppshut, der ihm das Aussehen eines Kremplings verlieh. Der wird dann später so tun, als habe er alles so kommen sehen, damals schon. Es konnte nicht gutgehen, wird er sagen, es konnte so nicht weitergehen. Und er wird sich voller Gram nach unserer zweiten Hochzeit aufs Land zurückziehen, aus Haß gegen die lärmende, stinkende Stadt, wie er sagt, und dabei ist es wegen eines Weibes, es ist immer nur alles wegen der Weiber, und wird Pferdeäpfel sammeln und wird sich auf dem Latrinenhäuschen im Garten unsere begeisterten Berichte von der Wende am Telefon anhören. Einstweilen schiebt er sich noch den Kremplingshut verwegen aus der Stirn, als würde ihm das nicht das geringste ausmachen, daß wir nun Mann und Frau sind. Und er tanzt nun selber. Er tanzt einen griechischen Tanz. Es tanzen alle den griechischen Tanz, obwohl keiner von uns je weiter als bis nach Bulgarien gekommen ist. Und dazwischen das Brautpaar. Und die Braut wird dem Bräutigam in der Hochzeitsnacht eine rosa Schleife um das steife Glied binden, und ich weiß nicht einmal mehr, war es in der ersten Hochzeitsnacht oder in der zweiten. Ich werde immer zu dir zurückkommen, und ich weiß nicht einmal, wer es sagte, sie oder ich oder keiner.

XV

WENN KRISTINA NICHT ZURÜCKKOMMT, WERDE ICH SCHLIMM ENDEN. Manchmal habe ich eine Vision. Ich sehe mich als alten Mann. Ich habe einen abgewetzten, zerschlissenen Mantel an und Sabber in den grauen Bartstoppeln. Ich habe rotunterlaufene Augen. Ich stinke, ich rieche es. Es schneit, und ich liege in der Gosse, und neben mir liegen leere Flaschen. Mitunter schleppe ich mich, barfuß und verdreckt, von Kneipe zu Kneipe und saufe an den Theken die Bierneigen aus. Diese Bilder kehren immer wieder. Du siehst, auch ich habe meine Probleme. Ich komme nicht von Kristina los.

Kristina war jeden Tag anders. Sie redete auch jeden Tag anders. Manchmal hatte sie Phasen einer etwas blumigen Redeweise. Wenn wir ins Grüne gingen, an den Busen der Natur, wie sie sich ausdrückte, und wir sahen einen Storch, so nannte sie ihn Meister Adebar. Wären wir einem Bären begegnet, so hätte sie ihn gewiß Meister Petz genannt, wir sind aber keinem Bären begegnet, auf freier Wildbahn, nie. Doch in den Zweigen der Bäume sangen unsere gefiederten Freunde. Sommers gingen wir gern baden, sie liebte das kühle

Naß. Auch schwang sie gern das Tanzbein. Wenn wir tranken, so trank sie am liebsten Rebensaft und ich Gerstensaft. Auch gingen wir oft ins Konzert, es war ein rechter Ohrenschmaus. Gern waren wir mit den Freunden zusammen und feierten reihum unsere Wiegenfeste. Es war ein schönes Leben, Amors Pfeil hatte uns getroffen, wir waren im Hafen der Ehen angelangt.

Nicht immer sprach sie so blumig, in leichter Anlehnung an eine gewisse Literatur, welche sie allerdings nicht las. Manchmal kleidete sie ihre Sprechweise auch in andere Gewänder. Besonders gern trieb sie ihren Schabernack mit Fremdwörtern, die sie voll verstohlener Wollust falsch verwendete, du hättest gewiß auch deine helle Freude daran. Wenn sie den Abwasch machen sollte, pflegte sie zu sagen: Das ist nicht mein Tresor. Wenn wir uns gestritten hatten, denn ein kleiner Streit kommt in den besten Ehen vor, sagte sie immer: Komm, Liebster, wir machen jetzt Tombola resi. Geld hatten wir nie viel, aber wenn irgendwo Spenden eingesammelt wurden, für Erdbebengeschädigte oder für die hungernden Kinder in Afrika, griff sie bereitwillig in unser kleines Portemonnaie und errichtete einen Obelisk. Mit meiner leichten Schreibtischarbeit, wie auch später mit dem Flaschenaufkauf, hielt ich uns einigermaßen über Wasser. Manchmal sah sie mir über die Schulter und amüsierte sich, wie ich flugs die Kommas setzte. Sie staunte. Du bist eine Konifere, sagte sie immer.

Wir hatten uns ein hübsches Spiel ausgedacht. Wir setzten Wörter zusammen, die nicht zusammengehörten. Aus zwei zusammengesetzten Wörtern mußte ein dreifach zusammengesetztes Wort entstehen, wobei das zweite Wort seine Sinnarme nach vorn, zum ersten Wort, und nach hinten, zum zweiten Wort ausstrecken mußte, woraus sich dann ein verblüffender oder komischer neuer Sinn ergab, kannst du mir folgen? Ich will es dir an Beispielen verdeutlichen. Aus Wendeltreppe und Treppenwitz machten wir Wendeltreppenwitz, aus Zeitungsschau und Schaufenster Zeitungsschaufenster. Und so entstanden Löwenzahnschmerzen, Mondgesichtswasser, Erbsengerichtsvollzieher, Kaltschalentier, Liebeszauberstab, Gebärmuttersprache, Geschlechtsverkehrsregel, Vaterlandsmannschaft, Schönschriftsteller. Manchmal redeten wir tagelang nur in solchen Wörtern, und wir lachten sehr. Aber das verstanden nur wir, unsere Freunde schüttelten bedenklich ihre akademischen Häupter. Es war ein schönes, lustiges Leben mit Kristina, und im Sommer, nach unseren langen Wanderungen, schliefen wir manchmal im Kornfeldbett.

Kristina steckte voller verrückter Einfälle, ob es sich nun um den Einbau von Wendeltreppen oder um die Schubkarre handelte, mit der ich sie zum Standesamt fahren mußte. Oder um die sonderbare, etwas abwegige Liebe zu meinem Doppelgänger Ralph B. Schneiderheinze. Das ganze Leben war für sie ein einziges Happening, eine immerwährende Performance. Und daß ich Kommas setzte und später Altpapier sammelte, hielt sie für nichts anderes als für absonderliche Einfälle, mit denen ich die Leute schockieren wollte. Auch daß ich Germanistik studiert hatte und das Studium bereits nach wenigen Semestern abgebrochen hatte. Das war damals, achtundsechzig, sagte ich, Tschechoslowakei, der Einmarsch, du weißt schon. Ah ja, sagte sie. Es interessierte sie nicht besonders. Sie fragte nichts. Sie fragte nicht einmal, was ich damit zu tun hatte. Ich hatte nichts damit zu tun. Aber es war die letzte Chance, das hatten wir schon damals geahnt, auch Schlehwein, heute wissen wir es. Als diese letzte Hoffnung erloschen war, konnten wir uns treiben lassen. Aber Kristina hörte gar nicht richtig zu. Leben, sagte sie, man muß einfach leben, das ist das einzige, das ist alles.

Ernst hat mich Kristina wahrscheinlich nie genommen. Das hat sie mit mir gemein. Ich kann mich auch nicht ernstnehmen. Für sie war alles nur ein Spiel, und sie spielte gern, sie spielte mit Wörtern, mit Männern und manchmal mit dem Feuer. Dagegen spielte sie auf der Bühne nur kleines Fach. Sie litt darunter, sie fühlte sich verkannt. Ob sie freilich das Zeug hatte für eine große Schauspielerin, vermag ich nicht zu sagen, sie hat es nie beweisen können, und vielleicht ist es auch besser, daß es ihr nie gelungen ist, das Schicksal in so unverschämter Weise herauszufordern. Ich kannte mal einen, dessen Frau war auch eine geborene Schauspielerin, allerdings eine schlechte, sie hat es mehrmals überzeugend bewiesen, und ihr Mann hat sich sehr geschämt. Er hat sich so sehr geschämt, daß er ihr ein Kind nach dem anderen gemacht hat, damit sie nicht mehr Theater spielen konnte. So brachte sie es in kurzer Zeit, keine sieben Jahre, auf sieben Kinder, was für eine gebärende Schauspielerin eine erkleckliche Zahl ist. Aber warum erzähle ich das, mit Kristina hat das nichts zu tun, ich schweife ab, unsere Ehen blieben kinderlos.

Warum wir immer wieder auseinanderliefen weiß ich nicht. Nein, an den Verhältnissen allein kann es nicht gelegen haben, obwohl sie schlecht waren. Die Verhältnisse sind ja meistens schlecht. Aber so eng war unser Intimleben an die Zeitläufe nicht gekettet, auch wenn wir, wie alle Welt, immer gehofft hatten, daß sich zu unseren Lebzeiten noch etwas ändert, doch das war schon alles, getan dafür hatten wir nichts. Wir hatten genörgelt auf unseren Nischenparties, aber dennoch, es war nicht unerträglich, und jeder hatte ja auch etwas zu verlieren, wie sich später herausgestellt hat, ich darf dich nur an Bröckle, Hasselblatt, Kleingrube erinnern. Zwar war es etwas eng und stickig, aber wem sage ich das, du hast ja selber lange genug in Käfigen zugebracht, doch dafür war es nicht allzu stressig, nicht wahr. Natürlich hatten wir auch immer unsere Ausflüchte und Selbsttäuschungen zur Hand. Wir hatten uns immer eingeredet, daß es zwei Sozialismusse gebe. Den Großen Sozialismus, wie er in der Zeitung stand mit zweiundvierzig Honeckerbildern zur Leipziger Messe. Und den kleinen sozialismus, den wir selber praktizierten, indem wir einfach lebten, wie zu leben war, und uns zuhörten und uns beistanden in unseren Nöten und den gebrechlichen Nachbarn die Kohleneimer in die vierte Etage trugen, wie lächerlich sich das heute auch anhören mag. Jedenfalls lebten wir nahe beieinander. Näher als jetzt, da nur noch vom Geld die Rede ist. Telefone hatten wir damals schon, ohne Anrufbeantworter. Wenn es in der Leitung knackte, konnten wir davon ausgehen, daß unsere Gespräche abgehört wurden. Es muß eine öde Arbeit gewesen sein, sie müssen vor Langeweile geschwitzt haben. In den letzten Monaten knackte es immer öfter in den Leitungen, es war schon die Agonie. Wir hatten zwei Möglichkeiten. Wenn wir logen und sagten, was sie gern hören wollten, zementierten wir womöglich das System. Also sagten wir die Wahrheit, es war unsere feine, unverfängliche Art des Widerstands, und so wurden wir alle, ohne es zu ahnen, zu informellen Mitarbeitern. Merkst du was, Giraffe? Wir sind wieder beim Thema. Wir sind alle Täter gewesen, Kleingrube hat recht. Wir sind alle mitschuldig, ich will es dir leichtmachen, du kannst jetzt reden, du kannst dich erleichtern. Nicht? Du willst nicht? Gut. Dann laß mich meins zu Ende bringen. Es war komisch, sie konnten, das Ohr am Volk, mit der Wahrheit nichts anfangen. Sie konnten nichts mehr ändern. Sie waren längst überflüssig geworden, da konnten sie horchen, wie sie wollten, es war tragisch. Aber hör mal, du kannst schweigen, wie du willst, ich erzähle trotzdem weiter. Ob es dir paßt oder nicht.

XVI

WAS WAR, FRAGE ICH, DIE SCHÖNSTE ZEIT DEINES LEBENS? War es die Kindheit, in der du im Leipziger Zoo herumstandest, behütet von deiner Giraffenmutter? Waren es die sonnigen Sommertage in Schlehweins großem Garten, zwischen den wuchernden Brennesseln und den Apfelbäumen? Oder waren es gar deine Wanderjahre im Zirkus, über die du dich so hartnäckig ausschweigst, deine Auftritte, deine Kunststückchen, deine Dressurnummern, das Streicheln des Dompteurs, der Beifall des Zirkuszelts, der dich umtoste, die Sonderrationen und kleinen Leckerbissen nach den Vorstellungen?

Die Giraffe schaut mich aus blöden Augen an, stumpfsinnig die Haferflocken wiederkäuend. Manchmal denke ich, die Giraffe kann gar nicht sprechen, und selbst ihre gestammelten Worte wie Konolialismus habe ich mir nur eingebildet.

Meine schönste Zeit ist gewesen, sage ich, als ich Kristina wiedergefunden habe, es war in jenem Herbst, von dem einige Leute noch heute schwärmen. Es war der Anfang vom Ende, wir hatten es nicht mehr für möglich gehalten, wir waren schon aus dem Alter heraus, wir hatten alle Hoffnung fahren lassen, vor allem Schlehwein, dein Freund und Gönner, er saß im Oderbruch und sammelte Pferdeäpfel für seine Tomatenzucht. Der Sommer war schwer und lastend gewesen, voll dumpfer Ängste. Scharenweise waren die Landeskinder außer Landes gegangen, und wir hatten nächtelang beieinandergesessen und geredet und geredet wie in den alten Zeiten, es war vielleicht zum letztenmal, jetzt hat jeder nur noch mit sich selber zu tun. Bröckle war verzweifelt. Sie sind blind, sie sind taub, sagte er, sie nehmen die Telefonhörer nicht mehr ab. Er hat einmal sogar geheult vor Wut. Es klingelt Sturm, und sie machen die Türen nicht mehr auf, und sie nehmen die Hörer nicht mehr ab, die starrsinnigen alten Männer, sagte Bröckle. Und war selber schon fast ein alter Mann an der Seite von Lydia, seiner viel zu jungen Frau. Später, als Reformen plötzlich noch möglich schienen, sagte er sarkastisch, und auch diesen Satz habe ich mir gemerkt: Der Beton für die Reformen ist schon angerührt. Aber was geschehen ist in diesem Herbst, ist alles schon aufgeschrieben, es steht in den Zeitungen, die bereits vergilben; wir können das getrost Kleingrube überlassen, er wird's gesammelt haben, er wird's richten.

Ich sah Kristina in der Kirche wieder, es war ein Friedensgebet. Wir waren beide keine Kirchgänger, wir waren aus Neugier hingegangen. Wir hatten uns aus den Augen verloren, seit sie Ralph B. Schneiderheinze für mich gehalten und für mich genommen hatte. Nun hielt sie, während wir die Lippen bewegten, um einen Choral mitzusingen, von dem wir weder Text noch Melodie kannten, hielt sie mich für Ralph B. Schneiderheinze und winkte mir zu und flüsterte, als sie sich durch die dichten Reihen der jungen Leute gedrängt hatte: Du bist also doch gekommen. Ich sah sie an, ich verstand sie nicht. Ich verstand alles erst später. Schneiderheinze traute sich nicht in die Kirchen, er fühlte sich beobachtet. Er wollte sein Werk nicht gefährden. Er wollte nicht riskieren, daß sein Buch, mit dem er die Wende vorbereiten wollte, nicht erscheinen würde, wenn er sich in den observierten Kirchen blicken ließ. Lieber nahm er an der Wende nicht teil. Schneiderheinze war weitaus lächerlicher, als ich geahnt hatte. Auch hatte er nichts für Kristina getan. Er hatte seine Verbindungen zu Bühne, Film, Funk nicht nutzen können, um ihr ein Engagement zu verschaffen. Und eine Rolle ihr auf den Leib hatte er auch nicht geschrieben. Aber weil er den gleichen grauen Pullover trug wie ich und einen Bart wie ich und abstehende Ohren hatte wie ich, hat Kristina mich wiedergesehen in der singenden, betenden Menge, das ist noch das Beste an Schneiderheinze. Aber wir haben uns wieder verloren, als wir aus der Kirche drängten, vorbei an den Spitzeln und Polizisten und an den brennenden Kerzen in den Fenstern. Aber wir haben uns wiedergefunden. Hunderte strömten eines Tages zur Mittagszeit aus den Häusern, Zehntausende säumten die Straßen, Hunderttausende. Die Menschenkette reichte von den großen Städten bis in die entlegensten Dörfer. Manche wußten nicht, ob sie lachen oder heulen sollten, manche hatten noch immer Angst, denn es hätte geschossen werden können, noch immer.

Kristina tat so, als hätten wir uns zufällig getroffen. Sie spielte das Wiedersehen. Du hier? Was machst denn du hier? Warum bist du nicht in deiner Flaschenannahme? Wir kamen, als sich die Kette bildete, nebeneinander zu stehen, zufällig. Wir faßten uns an den Händen. Wir wollten uns dann nicht mehr loslassen. Wir gingen noch Hand in Hand durch die Stadt, als die Menschenkette sich längst aufgelöst hatte. Es tut gut, sagte sie, jetzt wird alles gut, und es ist schön, daß wir uns wieder lieben.

Lieben wir uns denn wieder?

Ja, sagte sie, wir lieben uns jetzt wieder, aber es muß eine heimliche Liebe sein, es darf niemand wissen.

Warum, Kristina?

Ich weiß nicht warum, sagte sie, es ist einfach so, es geht nicht anders.

Sie nahm mich nicht mit in ihr Mansardenzimmer, und ich war froh, daß sie nicht hierher in diese Parterrewohnung wollte, in der sie einige Jahre mit mir gewohnt hatte. So brauchte ich ihr nicht zu erklären, daß Lydia, die sich das Bein gebrochen hatte, für einige Zeit bei mir wohnte. Und ich brauchte Lydia nichts zu erklären.

Wir waren viel auf der Straße in jener Zeit. Wir liebten uns auf Parkbänken wie die Backfische. Wir liebten uns in Autos wie Ehebrecher. Wir waren einander nie näher. Spannend war es auch. Sorgsam achteten wir darauf, daß die Freunde uns nicht zusammen sahen. Nicht weil wir ihren hämischen Spott fürchteten oder ihr aufmunterndes Staunen, daß wir, was schon zweimal gescheitert war, ein drittes Mal versuchten. Es war einfach so, es hatte so zu sein, wir hielten uns daran. Manchmal war es natürlich schwierig, besonders bei den Demonstrationen. Wurden wir dennoch zusammen gesehen, verstellten wir uns, damit niemand den geringsten Verdacht schöpfen konnte. Wir führten alle an der Nase herum, wir hatten viel Spaß dabei.

In dieser Zeit telefonierte ich oft mit Schlehwein. Ich war nicht der einzige, auch Bröckle rief ihn an, Hasselblatt, Kleingrube, alle, sogar Kristina. Er sollte kommen. Er sollte es mit eigenen Augen sehen. Er sollte dabeisein.

Hör mal, riefen wir, du mußt einfach dabei sein, es ist das, worauf wir so lange gewartet haben, das erlebt man in seinem Leben nur einmal.

So?

Carl-Ernst Schlehwein saß auf seinem Toilettenhäuschen im Oderbruch, den Hörer gelangweilt am Ohr. Ihn interessierte nicht, was wir ihm erzählten, aufgeregt, manchmal begeistert. Er war schon fertig mit allem. Er wollte gar nichts mehr. Er wollte nur noch seine Ruhe. Er wollte seine Pferdeäpfel sammeln und seine Tomaten düngen. Er wollte seine Schafe melken und scheren, und manchmal, wenn diese düstere Stimmung über dem weiten, baumarmen Bruch lag, ein wenig malen, das war alles. Und wir redeten und redeten, während er auf seinem Lokus hockte, und berichteten ihm telefonisch von den Mahnwachen und von den Stasikellern und Untersuchungsausschüssen und Parteiaustritten und runden Tischen, und er sagt: So, oder: Aha, oder: Ah ja, na schön, aber was habe ich damit zu tun? Er verbrachte, so schien es, die ganze Zeit der Wende auf dem Plumpsklo.

Komm wenigstens am Sonnabend, baten wir, flehentlich schon fast, als ginge es nicht ohne ihn, am Sonnabend um zehn, zum Alexanderplatz.

Er kam nicht. Sonst kamen alle.

Es war der heiterste, mildeste Novembertag, der sich denken läßt, vor allem in der Erinnerung. Am Morgen war es noch neblig, gegen Mittag brach die Sonne durch. Ich hatte mich mit Kristina verabredet, konnte sie aber nicht finden. Ich fand nur Bröckle und Lydia, die Hasselblatts, Kleingrube und die anderen, die jetzt alle arbeitslos sind wie ich. Wir standen beisammen. Wir hörten den Reden zu. Wir klatschten Beifall. Wir lachten über die Sprüche auf den Schildern. Keiner hatte mehr Angst. Es war wie ein Rausch, es war wie ein Taumel. Dann entdeckte ich, seitwärts in der Menge, Kristina. Sie zwinkerte mir zu. Sie klatschte Beifall. Sie lachte. Sie wischte sich die Tränen mit dem Handrücken weg. Und Schlehwein saß auf seinem Lokus im Oderbruch. Und Kleingrube fotografierte die Losungen, um sie archivieren zu können. Und Bröckle sagte später: Es war keine Revolution. Und Lydia wollte, jung wie sie war, noch etwas vom Leben habe und putzte mir die dreckigen Fenster und fiel von der Leiter und brach sich das Bein. Und ich zwinkerte Kristina zu und stahl mich weg von den anderen. Wir fuhren ins Grüne und liebten uns im märkischen Sand, so ist es gewesen, oder so ähnlich.

XVII

ICH BIN ERBOST. Die Giraffe hat die letzten zwei Seiten aufgefressen, die ich vorhin geschrieben habe. Ich war, ohne mein Schreibzeug wegzuräumen, hinausgegangen, denn es hatte geklingelt. Es war der Briefträger, aber er brachte keine Post, weder von Kristina noch von Schlehwein, nicht einmal von einem Versandhaus. Ich bat ihn trotzdem in die Küche. Er war gekommen, um sich zu verabschieden. Er wollte sich nicht erst setzen. Er sei fristlos entlassen worden, sagte er. Er habe eine neue, eine bürgerliche Existenz aufbauen wollen, aber es sei ihm verwehrt worden. Er sei nicht der einzige, es seien noch mehr Briefträger entlassen worden, auch viele Straßenkehrer.

Und warum?

Er sagte nicht warum. Ich ahnte es. Und er ahnte, daß ich es ahnte.

Und nun, sagte ich, was soll nun werden?

Er zuckte die Schultern, er wußte es nicht. Ich konnte ihm nicht helfen, aber ich wollte ihm wenigstens etwas Tröstliches sagen.

Irgendwie muß das Leben weitergehen.

Ja, sagte er, irgendwie. Und dann sagte er, daß er es couragiert von mir fände, daß ich die Giraffe in meiner Wohnung verstecke. Er klopfte mir auf die Schulter und ging.

Ich entschloß mich, der Giraffe nichts von dieser sonderbaren Begegnung zu erzählen. Als ich ins Zimmer zurückkam, sah ich, wie die Giraffe kaute. Aus ihrem Maul hing noch ein Stück Papier. Sie verschluckte es rasch. Der Schreibtisch war leer.

Ich war erbost, wie gesagt. Aber langsam, wenn ich an den Briefträger denke, gerate ich in mildere Stimmung.

Das machst du aber nicht noch mal, sage ich.

Die Giraffe schüttelt den Kopf, und ich schütte ihr eine Tüte Haferflocken in den Napf. Obwohl ich sie im Supermarkt gekauft habe, es geht ins Geld, und mein Arbeitslosengeld ist nicht üppig, aber andere sind noch schlimmer dran. Während die Giraffe vor sich hinkaut, mache ich mich wieder an meine Blätter. Ich muß die zwei Seiten, die die Giraffe verschlungen hat, noch einmal schreiben. Es war das Beste, was ich je geschrieben habe, alles sehr plastisch und in einem schönen, flüssigen Stil. Aber was man einmal geschrieben hat, kann man nicht noch einmal so schreiben. Es sind die Feinheiten, die Nuancen, die nicht zu wiederholen sind. Ich kann mich nur noch schwer daran erinnern, wie ich mich erinnert habe. Die zwei Seiten handelten von Kristina. Wir lagen in einem Bett mitten in Berlin, sie war schon eingeschlafen, ich sah noch ein wenig fern. Ich hatte den Ton abgedreht. Nur die Bilder flimmerten. Ein Mann las etwas von einem Zettel ab. Als ich den Apparat abschalten wollte, war ein großes Getümmel auf dem

Bildschirm. Es mußte an der Grenze sein, an der Mauer. Ich konnte, als ich den Ton wieder laut gedreht hatte, nicht glauben, was ich hörte.

Kristina, sagte ich leise, wach auf, Kristina.

Sie wälzte sich auf die andere Seite. Ich streichelte sie.

Kristina, du mußt aufstehen, ein Wunder ist geschehen.

Sie saß im Bett und rieb sich die Augen.

Kristina, die Mauer ist weg.

Sie gähnte.

Und wo ist sie hin?

Weg, sagte ich, die Mauer ist offen, zieh dich an.

Sie warf sich den Mantel über das Nachthemd und schlüpfte in die Pantoffeln. Es war nicht weit bis zur Bornholmer Straße. Tausende waren unterwegs, Menschenströme, Autoströme. Es war kühl, aber wir froren nicht. Kristina schüttelte, als wir an den Wachposten vorbeidrängten, ungläubig den Kopf. Sie war noch immer schlaftrunken. Dann ging alles sehr schnell. Wir wurden in ein Auto geschoben und in eine helle, laute Straße gefahren. Es war der Kurfürstendamm. Wir waren noch nie auf dem Kurfürstendamm. Überall wurde getanzt und gesungen und gehupt. Feuerwerkskörper detonierten. Bierbüchsen wurden uns in die Hand gedrückt, Sektkelche. Kristina tanzte im Nachthemd mit einem Afrikaner auf einem Autodach. Wie wir nach Hause gekommen sind, weiß ich nicht. Als Kristina erwachte, sagte sie, sie habe einen schönen Traum gehabt. Sie suchte unter dem Bett nach ihren Pantoffeln. Sie konnte nur einen Pantoffel finden. Schrieb ich wohl. Aber man kann es nicht zweimal schreiben, es ist nicht zurückzuholen.

Ach, wir hatten lauter schöne Träume in dieser Zeit, und wir spielten schöne Spiele, wir waren wie die Kinder. Wir ließen alles so, wie wir's abgemacht hatten. Es sollte keiner etwas wissen von uns und unserer Liebe. Zu mir gingen wir nicht, zu ihr gingen wir nicht. Alles mußte neu sein, unverbraucht, noch ungelebt. Überall trafen wir uns zufällig, beim türkischen Gemüsehändler in Kreuzberg, auf dem Flughafen Tegel. Wir lernten uns in einem kleinen italienischen Restaurant in Spandau kennen. Wir sahen uns zum erstenmal in einem Barenboim-Konzert in der Philharmonie. Wir begegneten uns unverhofft vor dem großen Gittertor in der Normannenstraße und forderten lautstark Einlaß.

Kennen wir uns nicht?

Nicht daß ich wüßte.

Wollen Sie auch Ihre Akte herausholen?

Sie auch?

Und wenn die gar keine Akte von uns haben?

Das wäre schrecklich, nicht?

Unsere Freunde, da wir nun alle reisen konnten, fuhren des öfteren weg, nach Venedig, nach Paris, nach Mallorca. Sie hatten alle Blumentöpfe auf ihren Balkons oder wuchtige Zimmerpflanzen, die gegossen werden mußten. Sie gaben immer mir die Wohnungsschlüssel, als dem Zuverlässigsten und Seßhaftesten. Wir übernachteten in ihren Wohnungen, einmal bei Bröckles, einmal bei Hasselblatts, wir schliefen in ihren Ehebetten oder auf Kleingrubes harter, mönchischer Liege. Wir vergaßen immer unsere Zahnbürsten in ihren Badezimmern. Manchmal hatte Kristina ihre Ohrclips in ihren Schlafzimmern verloren, und die Bewohner waren schon zurückgekommen, und ich mußte die Ohrclips dann suchen, ohne daß sie es merkten. Es waren lauter Szenen aus alten Lustspielfilmen.

Einmal sind wir dann selber weggefahren. Ich hatte Platzkarten besorgt. Als Kristina ins Abteil gehastet kam, wenige Minuten vor Abfahrt des Zuges, waren alle Plätze besetzt, bis auf einen.

Entschuldigen Sie, ist dieser Platz noch frei?

Noch ja, sagte ich, aber wenn jemand kommt, der den Platz reserviert hat, können Sie sich dann auf meinen setzen.

Ich hob ihr sogar den Koffer ins Gepäcknetz.

Sie sind sehr zuvorkommend, junger Mann, sagte sie und bot mir eine Banane an. Wir kamen bald ins Gespräch.

Schön, daß es jetzt Bananen gibt, nicht?

Ja, sagte ich.

Die anderen Mitreisenden fanden das auch schön. Sie aßen alle Bananen. Die Bananen sind ihnen lange vorenthalten worden.

Ja, sagte Kristina, der Spott und die Arroganz der Intellektuellen sind nicht angebracht. Das fanden die anderen auch. Sie hatten alle sehr gelitten in den vierzig Jahren stalinistischer Gewaltherrschaft. Die Autos waren gar keine richtigen Autos. Das Toilettenpapier war grau und hart, jetzt gibt es ja dieses schöne weiche. Die waren ja nicht mal in der Lage, Toilettenhäuschen auf der Autobahn aufzustellen.

Ja, sagte Kristina, es war schrecklich. Es gab auch keine richtigen Bücher und richtigen Filme, es war alles nur Propaganda. Es gab auch keine richtigen Bildzeitungen. Aber am schönsten ist, daß wir jetzt reisen können.

Und daß Deutschland so groß ist, unser Vaterland.

Ein richtiges Großvaterland, sagte Kristina.

Und ich sagte, als wir durch die Lüneburger Heide fuhren, aber vielleicht war es auch nicht die Lüneburger Heide, sagte ich: Wissen Sie, das ist mir alles ziemlich fremd, sie haben uns Deutschland gründlich ausgetrieben.

Ja, sagte Kristina, sie haben uns vieles ausgetrieben, und daß sie nicht nur uns, sondern auch die Pornographie unterdrückt haben, das hat ihnen das Genick gebrochen, fahren Sie auch nach Hamburg?

Nein, ich will an die Nordsee, ich habe noch nie Ebbe und Flut gesehen.

Ich will auf die Reeperbahn, sagte Kristina, ich will dort mein Glück versuchen.

Die Leute im Abteil zogen die Augenbrauen hoch und vertieften sich in ihre Bildzeitungen.

Was meinen Sie, wieviel man dort für einen Fick bekommt?

Keine Ahnung, sagte ich, hundert Mark vielleicht.

Hundert Mark, jubelte Kristina, das ist ja so viel wie das Begrüßungsgeld.

Eine ältere Dame verließ das Abteil. Sie war schockiert.

Und dann wateten wir durch das Wattenmeer in

unseren Gummistiefeln. Wir hatten damals, als ich in die Schule ging, die Nordsee noch gründlich durchgenommen, Koog, Polder, Marsch, all die Inseln mit ihren lustigen Namen, Langeoog, Spiekeroog. Kristina schon nicht mehr, sie ist jünger als ich. Wir wunderten uns, wo all der Fisch herkam in den Läden und in den Gaststätten. An der Ostsee, in den alten Zeiten, gab's doch nie Fisch, weißt du noch? Die Ostsee ist eben kein fischreiches Gewässer. Die Ostsee ist ein Meer des Friedens.

Wir hatten eine billige Pension gefunden, aber das Begrüßungsgeld reichte nur für zwei Übernachtungen. Am letzten Morgen fragte ich Kristina: Machst du's noch mal umsonst mit mir?

Ja, sagte sie, natürlich, gern, aber mit geschlossenen Augen.

Danach kauften wir noch zwei Fischsemmeln und fuhren zurück.

Und Silvester zerschnitten wir uns die Schuhe auf den Flaschenscherben am Brandenburger Tor. Und Bröckle ging herum und sammelte Unterschriften für unser Land. Und Schlehwein saß noch immer auf seinem Plumpsklo im Oderbruch, wenn ich ihn anrief.

Schlehwein, rief ich ins Telefon, bevor wir die Bornholmer Straße entlangliefen, du mußt kommen, die Grenze ist auf, die Mauer ist weg.

Das war's dann, sagte Schlehwein, das ist das Ende.

XVIII

DU HAST DICH SICHER AUCH GEFREUT, ALS DIE MAUER FIEL, SAGE ICH. Schlehwein war der einzige, der sich nicht gefreut hat, zumindest in meiner näheren Umgebung, und aus dem Politbüro kannte ich keinen persönlich.

Doch, du wirst dich auch gefreut haben, nicht wahr? Du konntest deine Brüder und Schwestern wiedersehen, im Westberliner Zoo und bei Hagenbeck in Hamburg, von denen du so lange getrennt warst. Nicht? Nein? Du hast keine Verwandten mehr? Du bist ganz allein auf der Welt?

Ich habe auch keine Verwandten mehr. Bis auf Onkel Alfred. Er kam gleich, nachdem die Grenze offen war, von München herüber mit seinem Mercedes. Das habt ihr gut gemacht, sagte er. Und friedlich. Eine friedliche Revolution. Das ist die Hauptsache. Und die Gesundheit. Das ist die Hauptsache.

Wir waren uns vom ersten Augenblick an sympathisch. Ich sah in ihm meine Mutter wieder, er in mir seine Schwester. Leibhaftig waren wir uns nie begegnet, denn es hatte ihm immer gegraut, in den Osten zu kommen. Er hatte panische Angst vor dem Osten gehabt. Es hatte uns immer bedauert. Und in seinem Mitleid hatte er immer Pakete geschickt, mit Kaffee, Schokolade, Onkel Bens Reis, Seife, vor allem Seife. Ich ließ ihn gewähren, auch nach dem Tod meiner Mutter, ich wollte nicht undankbar sein, es waren die letzten Familienbande. Außerdem war er reich, er hat, mußt du wissen, eine Ladenkette. Ich wollte mich immer revanchieren. Ich schickte ihm jedes Jahr zu Weihnachten erzgebirgische Räuchermännchen.

Besonders entzückt war er von Kristina. Weil sie so hübsch ist. Weil sie so lebendig ist. Weil sie so natürlich ist. Er wunderte sich, daß wir keine Kinder haben. Wie lange seid ihr eigentlich verheiratet?

Das erste Mal sieben Jahre, sagte Kristina, das zweite Mal drei Jahre, und jetzt leben wir in wilder Ehe.

Onkel Alfred lachte schallend. Er hat weißes, nach hinten gekämmtes Haar, es sieht aus wie die Asche einer sehr guten Zigarre, und seine Haut ist straff und gebräunt, er war noch vor zwei Tagen auf Teneriffa, es wimmelte nur so von Klischees.

Und Humor hat sie auch, sagte er, was willst du mehr, Junge?

Als ich Kristina küßte, freute er sich sehr und nickte gönnerhaft. Aber dann mäkelte er an unserer Kleidung herum. Jeans und graue Pullover, das war wohl nicht nach seinem Geschmack. Es schleppte uns zu Peek und Cloppenburg, um uns neu einzukleiden. Es war mir furchtbar peinlich, aber Kristina sagte: Laß, es ist die Familienbande, und es ist doch nur ein Spiel. Sie probierte ein Kleid nach dem anderen an und drehte sich vor dem Spiegel. Wir sind nämlich aus dem Ostsektor, erklärte sie der Verkäuferin. Das blaue Seidenkleid mit den weißen Punkten stand ihr am besten. Mir war auf einmal, als hätte ich sie noch nie in einem Kleid gesehen. Sie war sehr schön. Sie strahlte. Und ich in meinem neuen Trenchcoat kam mir vor wie eine Mischung aus Provinzfriseur und Arturo Ui.

So, sagte Onkel Alfred, und jetzt gehen wir zu Kempinski. Wir aßen Austern auf englische Art, Prager Schinken in Madeira, Hammelrücken Orlow mit Bleichsellerie auf Rindermark und Pfirsich Condé. Dazu tranken wir mehrere Weine. Kristina, Dame von Welt, mäkelte an allen Weinen herum, der eine war ihr zu fruchtig, der andere zu süß, sie ließ immer neue kommen. Dabei hatte sie nicht die geringste Ahnung von Weinen. Man hätte ihr einen dänischen Müller-Thurgau kredenzen können, sie hätte es geglaubt. Onkel Alfred war fasziniert von ihrer Nonchalance, er hatte wohl nicht für möglich gehalten, wie rasch sich die Autochthonen der Unfreiheit in der Welt des Luxus zurechtfinden. Natürlich war die Zeche schandteuer, aber er konnte die Rechnung von der Steuer absetzen.

So, sagte Onkel Alfred, und nun zu dir. Er war fest entschlossen, uns auf die Beine zu helfen und unter die Arme zu greifen. Zunächst einmal sollte ich ihm meinen Werdegang schildern.

Ich bin bei Sero, sagte ich. Onkel Alfred wußte nicht, was das ist, Sero. Er hatte das noch nie gehört.

Sekundärrohstoffe, sagte ich, das ist ein Recycling-Unternehmen, das ist einmalig in der Welt, das ist unsere größte Errungenschaft auf dem Gebiet des Umweltschutzes.

Und was machst du bei diesem Sero?

Ich nehme die Flaschen ab und sortiere sie.

Was machst du?

Ich nehme die Flaschen ab und sortiere sie.

Onkel Alfred kniff die Augen zusammen und rührte hektisch mit seinem rechten Zeigefinger in seinem rechten Ohr. Dann wandte er sich hilfesuchend an Kristina.

Trinkt er?

Nein, nein, sagte Kristina.

Das ist die Hauptsache. Sein Vater hat sich totgesoffen. Er hat meine einzige Schwester ins Unglück gestürzt. Ich war immer gegen diese Ehe.

Onkel Alfred trank sein großes Weinglas auf einen Zug aus. Der schöne Bordeaux. Und vorhin sagte er noch, man muß den Wein kauen. Onkel Alfred war fassungslos.

Du sortierst also Flaschen, sagte er, nach Luft ringend. Als Akademiker!

Ich bin kein Akademiker, Onkel Alfred.

Du hast studiert. Was war das gleich noch mal? Germanistik?

Ich habe das Studium abgebrochen. Das muß dir doch Mutter geschrieben haben. Das ist lange her, das war achtundsechzig, als die Panzer in die Tschechoslowakei einfuhren.

Also politisch? Onkel Alfred merkte auf. Du hast protestiert?

Neinnein, ich habe nicht protestiert.

Du bist geschasst worden? Du bist exmatrikuliert worden? Du bist verfolgt worden? Du bist ein politisch Verfolgter? Du bist ein Opfer? Warum erfahre ich das erst jetzt? Warum hat deine Mutter das nicht geschrieben? Ich hätte doch schon viel früher etwas für dich getan. Ich hätte dich rübergeholt.

Neinnein, sagte ich, ich bin einfach nicht mehr hingegangen, ich habe das Studium an den Nagel gehängt, es war mir alles zu blöd.

Aber Onkel Alfred hörte gar nicht zu. Ich konnte sagen, was ich wollte, er war nicht davon abzubringen, ich war ein Verfolgter des Stasi-Regimes. Er arbeitete meine Vergangenheit auf, und ich war ein Opfer.

Ich bin einfach nicht mehr hingegangen, sagte ich, es war freiwillig. Niemand hat mir etwas getan, verstehst du, es war mein eigener Entschluß, ich wollte nicht mehr, ich hatte keine Lust mehr, verstehst du?

Onkel Alfred verstand nicht. Ich sollte mich nicht schützend vor das Regime stellen. Die meinen weiteren Bildungsweg zerstört und mich in den Flaschenhandel gesteckt hatten, nannte er Verbrecher, stalinistische Verbrecher. Und dann sah er auf die Uhr und sagte: Du studierst weiter.

Nun war ich es, der das große Glas in einem Zug austrank. Der schöne Bordeaux. Ich mußte plötzlich lachen.

Das war vor zweiundzwanzig Jahren, Onkel Alfred. Ich verschluckte mich, so mußte ich lachen.

Trotzdem, sagte Onkel Alfred, du studierst in München weiter, in München gibt es auch Germanisten, das bin ich einfach deiner Mutter schuldig.

Na wunderbar, rief nun Kristina, und ich gehe an die Münchner Kammerspiele!

Ihre Augen leuchteten.

Ich wollte schon immer an die Münchner Kammerspiele.

Sie erzählte ihren Werdegang. Sie hat ganz klein angefangen, am Stadttheater Annaberg. Und dann ist sie entdeckt worden. Sie kam dann nach Karl-Marx-Stadt. Karl-Marx-Stadt hatte damals ein sehr gutes Theater. Sie hat die Hedda Gabler gespielt, die Mutter Courage, die Julia, alles. Sie hat dann den Sprung nach Berlin geschafft. Aber dann kam die Biermann-Affäre. Da hat sie mit unterschrieben. Danach war es aus. Sie hat nicht widerrufen. Da war ihre Karriere zu Ende. Nur Steine im Weg. Sie ist geknebelt worden noch und noch. Sie weinte, sie spielte grandios, und Onkel Alfred war gerührt. Er bestellte noch eine Flasche Bordeaux.

Münchner Kammerspiele wär schon nicht schlecht, Onkel Alfred, sagte Kristina.

Onkel Alfred nickte. Er war bewegt, daß Kristina ihn Onkel Alfred nannte. Er sagte, daß er gute Verbindungen habe, auch zu den Filmgesellschaften wie Bavaria und so weiter. Als er gezahlt hatte, sagte er, daß ich eine tapfere, tüchtige Frau hätte.

Die Luft auf dem Ku'damm war scharf und schneidend, und er schwankte stark. Als wir ihn in seinem Hotel ablieferten, sagte er gar nichts mehr, nicht mal gute Nacht. Aber am nächsten Morgen haben wir uns wieder ganz schick gemacht, Kristina hat das Seidenkleid angezogen und ich den Trenchcoat, und wir haben mit Onkel Alfred gefrühstückt. Onkel Alfred hat drei

Aspirin eingenommen. Er war etwas einsilbig. Aber er hat dann doch noch etwas gesagt. Er hat gesagt: Ihr müßt euch freuen, die Welt steht euch jetzt offen, ihr müßt die Ärmel hochkrempeln.

Dann hat er uns umarmt und ist nach München zurückgefahren. Doch er hat uns noch hundert Mark geschenkt. Und er hat gesagt: Wenn ich euch helfen kann, ich bin immer für euch da.

Die Münchner Kammerspiele haben Kristina seither nicht mehr losgelassen. Sie sprach immer wieder von den Münchner Kammerspielen, es war mir manchmal zuviel. Auch fragte sie mich, ob ich meinen Lebensabend bei Sero beschließen wolle, ich mit meinen Geistesgaben. Das war schon manchmal kein Spiel mehr. Und dann kam noch die Geschichte mit Lydia hinzu. Aber hier muß ich erst mal eine Pause machen, es hat geklingelt.

XIX

DIE BEIDEN HERREN, DIE VOR DER TÜR STANDEN, WAREN MIR SOFORT SUSPEKT.

Ich kaufe nichts, sagte ich, ich schließe auch keine Versicherung mehr ab, ich bin allianzversichert.

Die beiden Herren lächelten verständnisvoll. Mir schwante nichts Gutes. Von der Versicherung jedenfalls waren sie nicht, obwohl auch sie farbenprächtige Krawatten trugen.

Wir hätten Sie gern gesprochen, sagte der eine. Sie stellten sich vor, aber ich habe ihre Namen nicht verstanden, ich war sehr aufgeregt. Die Dienstausweise, die sie zückten und mir unter die Nase hielten, konnte ich in der Eile nicht erkennen, sie steckten sie gleich wieder ein.

Ich bin arbeitslos, sagte ich, ich habe keinerlei Nebeneinkünfte, falls Sie von der Steuerfahndung sind, ich habe früher bei Sero gearbeitet.

Das ist uns bekannt, sagte der zweite Herr.

Sero ist ja nun abgewickelt, sagte ich, Sie sehen ja selbst, wohin das geführt hat, die Mülltonnen quellen über.

Die beiden Herren warfen sich kurze, besorgte Blicke zu, als zweifelten sie an meinem Geisteszustand.

Es geht uns nicht um Sero, es geht uns auch nicht um Sie, aber das läßt sich nicht zwischen Tür und Angel besprechen.

Nicht?

Nein.

Ich bat die beiden Herren in die Küche, und ich hoffte sehr, die Giraffe werde sich still verhalten und nicht allzu laut furzen.

Sie sind doch mit Herrn Carl-Ernst Schlehwein befreundet?

Ich nickte. Ich hatte auch damals genickt. Ich war auch damals gefragt worden, ob ich mit Carl-Ernst Schlehwein befreundet sei. Es waren auch damals zwei Herren erschienen, gleichfalls am frühen Morgen, sie trugen auch damals Krawatten, und sie wollten wissen, wer hinter Schlehwein steht. Ich wußte nicht, wer hinter Schlehwein steht. Ich wußte auch nicht, daß Schlehwein systemkritische, regimefeindliche Bilder gemalt hat. Ich wußte überhaupt nichts. Ich sagte auch überhaupt nichts. Ich war nicht einzuschüchtern, es konnte mir nicht viel passieren, denn was soll einem, der mit Flaschen handelt, schon passieren. Ich war nicht zu erpressen. Ich sagte kein einziges Wort.

Auch jetzt, dachte ich, kann mir nicht viel passieren. Arbeitslos bin ich schon. Verantwortung trage ich für nichts und niemanden, bis auf Schlehweins Vermächtnis, die Giraffe. Aber wahrscheinlich kann auch die Giraffe nicht mehr ohne weiteres hinter Gitter kommen,wir leben jetzt in einem Rechtsstaat. Das beste, dachte ich, ist die Wahrheit. Man kann ja jetzt die Wahrheit sagen, man soll es sogar. Und außerdem ist Schlehwein außer Reichweite. Also packte ich aus.

Schlehwein, sagte ich, hat systemkritische, regimefeindliche Bilder gemalt, er war mehrere Monate im Gefängnis.

Das ist uns bekannt.

Danach hat er sich, verbittert und gebrochen, aufs Land zurückgezogen. Warum kümmern Sie sich nicht besser um die Skinheads und um die Leute, die die Telefonzellen verwüsten?

Die Fragen stellen wir. Wann haben Sie ihn zuletzt gesehen?

Sie werden ihm hoffentlich nicht verübeln, daß er sich nicht aktiv an der Wende beteiligt hat?

Die beiden Herren tauschten wieder rasche Blicke aus, die von einem tiefen Unverständnis für das zeugten, was ich sagte.

Gutgut, sagte ich, er hat sich nicht beteiligt, er hat im Grunde abseits gestanden, aber dafür hat er mit seinen systemkritischen, regimefeindlichen Bildern in gewissem Sinne alles, was wir heute die Wende heißen, langfristig vorbereitet, er hat die Menschen sensibilisiert, wenn Sie so wollen, aber Massenaufläufe waren seine Sache nicht, sind es nie gewesen, er war im Grunde eher menschenscheu und schüchtern, er hat sich gern mit Tieren umgeben, unterbrechen Sie mich bitte nicht, natürlich wollten wir ihn bewegen zu kommen und sich zu beteiligen, es sich zumindest anzusehen, aber er war sehr lethargisch, es interessierte ihn nicht sonderlich, es waren im Grunde ganz andere Fragen, die ihn interessierten, er hat immer vor der Zerstörung der Natur gewarnt, deshalb hat er ja diese infernalischen Bilder gemalt, deshalb bin ich ja seinerzeit auch zu Sero gegangen, es war im Grunde das gleiche Motiv, wir wollten etwas tun, jeder mit seinen bescheidenen Mitteln, die deutsche Frage ist ja im Grunde eine sekundäre, verglichen mit den großen globalen Problemen, vor denen die Menschheit steht, nehmen Sie nur die Überbevölkerung der Erde, die Hungersnöte, die schwindenden Energieressourcen, hier bin ich durchaus konform mit ihm gegangen, auch wenn wir in Einzelfragen oftmals sehr verschiedener Meinung gewesen sind.

Ich sah, während ich redete und redete, zum Fenster hin, dessen Flügel halb offen standen. Die beiden Herren, die wohl glaubten, ich könne sie nicht sehen, tippten sich während meiner Ausführungen mehrmals mit dem Zeigefinger an die Stirn, ich sah es in den spiegelnden Scheiben. Ich lief für sie nicht rund. Aber ohne mich beirren zu lassen, fuhr ich fort:

Schlehwein ist verschiedentlich so weit gegangen, alles, was wir inzwischen historisch als die Wende bezeichnen, für ein grandioses Manöver zu halten, mit dem von den eigentlichen existentiellen Problemen der Menschheit und der unheilvollen Zerstörung der Natur abgelenkt werden sollte, mit Erfolg, wie er meinte, da nunmehr auch in diesem Landstrich die Verbrauchermentalität überhandnähme, Verbrauch, Verbraucher, verbrauchen, das war für ihn etwas sehr Schlimmes, etwas Widerwärtiges, Naturfeindliches, und er fand das alles auch nicht sehr originell, er hat immer gesagt, was jetzt kommt, war alles schon da, hier konnte ich ihm durchaus folgen, wobei er allerdings übersah, daß in den vierzig Jahren sozialistischer Mißwirtschaft unvergleichlicher Schindluder mit der Natur und der Umwelt getrieben wurde, was in seiner ganzen Tragweite erst heute zutagetritt, und zwar sehr kraß, Sie sind gewiß auch dieser Meinung?

Die beiden Herren hüstelten nervös.

Schlehwein, sagte ich, war im übrigen der Ansicht, daß ohne das Fernsehen die Wende, wie sie sich vollzogen hat, nie sich hätte vollziehen können, und wenn das Fernsehen die Montagsdemonstrationen nicht übertragen hätte, hätten sie, Montag für Montag, wahrscheinlich in dieser Form gar nicht stattfinden können, die friedliche Revolution als Ergebnis einer Medienmanipulation, diese Ansicht habe ich nie geteilt, und ich glaube auch nicht, daß die Bürgerbewegungen, wie Schlehwein meinte, vom Staatssicherheitsdienst ins Leben gerufen worden sind, um sie von vornherein überwachen zu können, hier irrt Schlehwein offensichtlich, auch wenn später viele enttarnt worden sind, wie wir ja inzwischen wissen, und es ist auch nicht völlig erwiesen, daß es einige bayrischen Rüpel gewesen sind, die brüllend, weil sie so laute Stimmen haben, die Losung Wir sind das Volk in die Losung Wir sind ein Volk umgewandelt haben, das herauszufinden, wird der Geschichtsforschung vorenthalten bleiben, das hängt wahrscheinlich mit Schlehweins übersteigerter Selbstisolation zusammen, er war ja zuletzt etwas wirr im Kopf, er lief nicht mehr ganz rund.

Ich tippte mit dem Zeigefinger an meine

Stirn, und die beiden Herren wirkten sehr verstört.

Allerdings, sagte ich, haben wir uns natürlich manches anders vorgestellt. Es ist nicht so gekommen, wie das einmal gedacht war.

Ich winkte die beiden Herren näher zu mir heran. Ich sprach sehr leise, ich flüsterte fast, damit die Giraffe, die womöglich wieder rebellisch geworden wäre, mich nicht hören konnte.

Wissen Sie, Schlehwein hat ja das, was jetzt hier passiert, für eine Art Kolonialismus gehalten. So weit würde ich nicht gehen. Es ist auch undankbar. Die Leute aus den alten Bundesländern tun sehr viel für uns. Sie scheuen keine Opfer. Ich habe selbst einen Onkel in München, der hat uns kräftig unter die Arme gegriffen.

Der eine Herr gab dem anderen Herrn ein Zeichen, und der andere Herr sagte:

Können Sie uns etwas über den derzeitigen Verbleib von Carl-Ernst Schlehwein sagen?

Er ist in Afrika.

In Afrika?

Er wollte immer nach Afrika, aber sie haben ihn nie nach Afrika gelassen. Wenn Sie sonst noch Fragen haben?

Die beiden Herren hatten sich bereits erhoben und winkten ab.

Das Gespräch bleibt selbstverständlich unter uns, sagte der eine, den ich die ganze Zeit für den Netteren gehalten hatte.

Nein, nein, sagte ich, sagen Sie es ruhig weiter.

Ich dachte, vielleicht funktioniert es diesmal besser. Sie wissen nicht, was hier läuft, und sie legen das Ohr ans Volk, und ich sage, wie es ist, und dann sagen sie es weiter, und dann wird eingelenkt, und es ändert sich was. Ich laufe wirklich nicht ganz rund.

Ich danke Ihnen für das Gespräch, sagte ich an der Tür. Von welcher Zeitung kommen Sie gleich noch mal?

XX

KAUM WAREN DIE BEIDEN HERREN GEGANGEN, BIN ICH IN DAS ODERBRUCH GEFAHREN. Es war ein sonniger Tag. Ich bugsierte die Giraffe in den hohen Anhänger. Sie sträubte sich, als ich sie anschnallte. Ich konnte nur sehr langsam fahren, hinter mir wurde ständig gehupt. Mehrmals mußte ich große Umwege machen, da ich mit dem überdimensionalen Gefährt unter den niedrigen Eisenbahnbrücken nicht hindurchkam. Es war sehr strapaziös. Aber für die Giraffe muß es noch strapaziöser gewesen sein.

Ich war lange Zeit nicht aus der Stadt herausgekommen. An den Landstraßen standen riesige Reklameschilder. Dr. Oetker. Test the West. Jedes Dorf hatte seinen eigenen Gebrauchtwagenhandel mit flirrenden Girlanden. In Waldschneisen standen zerbeulte Trabanten, radlos. Die Felder waren nicht abgeerntet.

Schlehweins Haus stand friedlich zwischen den Apfelbäumen, wie vergessen. Die Türen waren versiegelt. Auch das kleine Toilettenhäuschen war versiegelt. Ich pißte ins Gras. Als ich den Reißverschluß hochzog, klingelte das Telefon. Kurz darauf hörte ich Schlehweins Stimme. Hier ist der automatische Anrufbeantworter von Carl-Ernst Schlehwein, wenn Sie eine Nachricht für mich haben, sprechen Sie bitte nach dem Signalton. Dann ertönte ein langes Piepzeichen. Und dann hörte ich auf einmal Kristinas Stimme. Sie sagte: Dieser Scheißanrufbeantworter, komm gefälligst selber ans Telefon, du Scheißer, ich ruf schon das sechste Mal an, so dicke hab ich's auch nicht, München ist ein teures Pflaster, mach's gut.

Ich rüttelte an der Tür, ich wollte das Siegel abreißen. Aber es war ohnehin zu spät, sie hatte aufgelegt. Ich hörte wieder Schlehweins Stimme. Ich danke Ihnen, sagte er, ich rufe zurück.

Es dauerte lange, bis ich mich wieder gefaßt hatte. Es war das erste Lebenszeichen von Kristina, seit sie weggegangen war. Kopfschüttelnd ging ich über die Wiesen.

Kristina ist in München, sagte ich.

Aber die Giraffe hörte nicht zu. Sie pißte ins Gras, und dann galoppierte sie in einem großen Bogen um das Haus. Ausgelassen lief sie auf die Schafherde zu, die an der Böschung auftauchte. Bald kam sie zurück und tänzelte mit eleganten Schritten zu mir herüber.

In München, sagte ich, dabei hätte ich es ahnen können.

Die Giraffe wieherte, sie grunzte, sie gurrte. Sie sprach sogar. Sie sprach das erste Mal wieder seit langer Zeit.

Es lebe die dtsch demkrtsch Replik, sagte sie.

Halt dein Maul, rief ich, sonst kommst du wieder hinter Gitter.

Sie tollte auf den Wiesen. Ich ließ sie tollen. Nichts geht über die Freiheit.

Im Schuppen, der weder versiegelt noch abgeschlossen war, fand ich ein Beil. Es gelang mir, einige Bretter des Toilettenhäuschens zu lösen, ohne daß ich das Siegel beschädigte. Ich hörte die Gespräche auf dem Anrufbeantworter ab. Kristina hatte tatsächlich sechsmal aus München angerufen, aber mehr als ich schon wußte, konnte ich nicht erfahren. Nur ein einziger weiterer Anruf fand sich auf dem Band. Ein Dr. Weißbach aus Wanne-Eickel wünschte Herrn Schlehwein dringend zu sprechen, er werde sich wieder melden. Als ich mich umblickte, war ich umringt von blökenden Schafen. Der Schäfer, der mit langen, bedächtigen Schritten näherkam, lächelte nachsichtig.

Wir kannten uns flüchtig. Manchmal, wenn wir unsere Feste in Schlehweins Garten gefeiert hatten, saß er mit in der Runde, stumm. Er redete auch jetzt nicht viel. Warum die Türen versiegelt waren, wollte er nicht sagen. Er winkte nur ab.

Schlimm, sagte er.

Was ist schlimm?

Schlimm, sagte er.

Immerhin erfuhr ich, daß er von Schlehwein fünf Schafe geschenkt bekommen hatte. Er zeigte sie mir. Sie hießen Sebastian, Ludwig, Friedemann, Amadeus I und Amadeus II. Sie sahen aus wie die anderen Schafe, und ich wunderte mich, wie er sie hat herausfinden können. Ich wollte wissen, ob die anderen Schafe auch Musikernamen tragen. Er antwortete nicht. Er sagte nur, daß ein

Schaf heute nichts mehr wert sei. Fünf Mark, mehr nicht. Da sei ja das Schlachten teurer. Er wisse nicht wohin mit den Schafen. Alles werde jetzt eingezäunt. Überall würden jetzt Golfplätze angelegt. In dieser Gegend gehöre kaum noch jemandem etwas, die Häuser nicht, die Felder nicht. Alles sei unterm Arsch weggekauft. Und die früher hier waren, kamen jetzt alle zurück.

Schlimm, sagte ich.

Schlimm, sagte der Schäfer. Aber der Brandstifter hat alles noch schlimmer gemacht.

Der Brandstifter? Welcher Brandstifter? Der Schäfer pfiff seinem Hund und ließ mich stehen. Ich lief ihm nach. Aber der Schäfer sagte überhaupt nichts mehr. Er zog langsam mit seiner Herde weiter. Ich war wieder allein mit der Giraffe.

Ob er sein Haus anzünden wollte, sagte ich, was meinst du?

Die Giraffe fraß selbstvergessen die Blätter von einer Akazie. Ich ging um das Haus herum und sah mir den Dachstuhl an, aber ich fand nirgendwo einen verrußten Balken. Dann ging ich ins Dorf, es war nicht weit. Vor jedem zweiten Gehöft stand ein Auto mit einer Westnummer. Auf dem Gemeindeamt wurde mir von einer schwammigen Blondine mitgeteilt, der Bürgermeister habe heute keine Sprechstunde, und ich solle nächste Woche wiederkommen. Aber als ich sagte, es handele sich um Schlehweins Grundstück, wurde ich vorgelassen. Der Bürgermeister war ein junger Mann. Er schien noch nicht lange im Amt zu sein, ich hatte ihn noch nie gesehen. Er hatte sich erhoben, als ich eingetreten war, und gab mir die Hand.

Schön, daß Sie die weite Reise nicht gescheut und sich selbst herbemüht haben, sagte er.

Ich winkte bescheiden ab, und der Bürgermeister bat mich, Platz zu nehmen. Als er behauptete, meinen Brief erhalten zu haben, stutzte ich, aber ehe ich mich erklären konnte, eilte er hinaus, um bei der schwammigen Blondine Kaffee zu bestellen und meinen Brief heraussuchen zu lassen. Kein Zweifel, er hielt mich für Dr. Weißbach aus Wanne-Eickel. Ich ergab mich in mein Schicksal, mir fehlte nur noch die Krawatte. Am meisten aber fehlte mir Kristina, sie hätte voller Wonne dieses Spielchen mitgespielt, und wir hätten gemeinsam gewiß viel Freude an den Verrenkungen des Bürgermeisters gehabt, der sehr nervös war und sehr erschöpft von dem Wust ungeklärter Eigentumsfragen in seinem Sprengel. Er trug eine randlose Brille, die er ständig auf- und absetzte, während er hechelnd redete. Rasch begriff ich, daß ich, Dr. Weißbach aus Wanne-Eickel, der rechtmäßige Eigentümer des Schlehweinschen Anwesens war und es, wie aus meinem Brief hervorging, wieder in Besitz nehmen wollte. Ich straffte mich und nickte.

Gern, so sagte ich, würde ich mich natürlich mit Herrn Schlehwein, den ich bereits telefonisch zu erreichen suchte, ins Benehmen setzen, zumal ich das Haus in einem besseren Zustand vorfand, als ich es seinerzeit hinterlassen hatte.

Das ist leider nicht möglich, meinte der Bürgermeister, Herr Schlehwein ist außer Landes, er ist flüchtig.

Republikflüchtig?

Der Bürgermeister verzog das Gesicht und lächelte säuerlich, da ihm dieser Begriff, den ich meiner eigenen Biographie entlehnt hatte, nicht recht zu passen schien, worauf ich einwarf, er werde wohl nicht leugnen, daß die Bundesrepublik Deutschland schließlich eine Republik sei. Der Bürgermeister, Brille auf, Brille ab, war verwirrt von meinen Spitzfindigkeiten. Ich wollte wissen, wohin denn Herr Schlehwein geflohen sei.

Nach Afrika, so prompt der Bürgermeister. Ach, Kristina, du hättest deine helle Freude gehabt. Man setzt ein Gerücht in die Welt, vertraut es der Polizei an oder dem Geheimdienst, und es wird, von Behörde zu Behörde, immer wahrer.

Hier im Oderbruch wohnt immer noch viel Gelichter, sagte der Bürgermeister, sonderbare Existenzen, ausgeflippte Künstler, es wird Zeit, daß die neue Ordnung Ordnung schafft.

Aber Herr Schlehwein hat das Grundstück rechtmäßig erworben, hoffe ich doch?

Was damals in der alten Ordnung als rechtmäßig galt.

Und warum ist er geflohen? Warum ist sein Haus versiegelt?

Er ist straffällig geworden.

Straffällig? Um Gottes willen. Was hat er denn angestellt? Hat er eine Bank ausgeraubt? Hat er Kinder vergewaltigt? Hat er ein Attentat auf einen Top-Manager geplant?

Schlimmer, sagte der Bürgermeister. Aber als ich weiterfragte, hüllte er sich in Schweigen. Er versuchte abzulenken und wollte auf einmal wissen, ob ich die Unterlagen für meinen Besitzanspruch mitgebracht hätte, Kaufvertrag, notariell bestätigte

Abschriften der Grundbuchauszüge. Ich aber ließ nicht locker.

Hat er Feuer gelegt? Wollte er sein Haus anzünden. Mein Haus?

Schlimmer, sagte der Bürgermeister. Aber eigentlich dürfe er nicht darüber sprechen. Er rückte näher zu mir heran und setzte die Brille ab.

Schlehwein, flüsterte er, habe sich in die Ämter eingeschlichen. Er habe die Grundbücher entwendet, sämtliche Grundbücher der Gegend. Und er habe sie verbrannt, auch die Duplikate. Es sei ein unglaubliches Chaos entstanden. Keiner wisse mehr, wem was wirklich gehört, keiner könne mehr sein Besitzrecht an Grund und Boden nachweisen durch den Vergleich seiner Papiere mit den Eintragungen im Grundbuch. Denn es gibt kein Grundbuch mehr, Herr Dr. Weißbach, verstehen Sie, kein Grundbuch, nichts, der Willkür sind Tür und Tor geöffnet, jeder kann hier irgendein Papier vorlegen, und wir behördlicherseits können es nicht anfechten, ebensowenig wie wir Herrn Schlehweins Anspruch anfechten könnten, bloß weil er nach dem Gewohnheitsrecht auf diesem Grund und Boden wohnt, und dies, obwohl er sämtliche Grundbücher vernichtet hat.

Der Bürgermeister seufzte und setzte seine Brille wieder auf. Er konnte nicht verstehen, warum ich, meine Rolle verlassend, plötzlich in Lachen ausbrach. Er saß ernst und bleich vor mir.

Das ist ein gezielter Angriff auf Recht, Ordnung, Gesetz, sagte er tonlos.

Als ich mich von meinem Lachkrampf erholt hatte, war es leichenstill in dem kargen Arbeitszimmer. Wir schwiegen lange. Allmählich verwandelte ich mich in Dr. Weißbach zurück und setzte eine würdige Miene auf.

Würde dies bedeuten, fragte ich, daß diejenigen, die hier wohnen, obwohl sie nach bürgerlichem Recht nicht das Recht dazu haben, hier weiter wohnen können?

Das würde es bedeuten, erwiderte der Bürgermeister und setzte die Brille wieder ab, zumindest würden sich, da ja an Hand des Grundbuchs der eigentliche Besitzanspruch nicht nachgewiesen werden kann, und setzte die Brille wieder auf, die Prozesse endlos in die Länge ziehen, wahrscheinlich über die Lebzeiten der Kläger und Beklagten hinaus.

Die Sonne brach durchs Fenster, mich überkam plötzlich eine große innere Heiterkeit, und ich hatte das starke Verlangen, ich müßte dem, was mein Freund Carl-Ernst Schlehwein getan hatte, um Gut und Freude und Lebenssinn der Einheimischen zu bewahren, etwas Ebenbürtiges hinzufügen, mit meinen bescheidenen Mitteln. Und so, wie ich mich in Dr. Weißbach verwandelt hatte, verwandelte ich Dr. Weißbach.

Wissen Sie, warum ich gekommen bin, sagte ich, ich Dr. Weißbach aus Wanne-Eickel. Ich bin gekommen, um eine alte Schuld abzutragen. Wie Sie vielleicht wissen, habe ich hier vor vielen Jahren gelebt. Als Landarzt, wie mein Vater und wie mein Großvater. Ich habe den Menschen hier geholfen. Aber dann bin ich weggegangen, das ist lange her, da waren Sie noch im Pionierverband und standen stramm beim Morgenappell. Ich habe meine Patienten im Stich gelassen. Ich habe mich blenden lassen vom Wohlstand. Ich habe mir in Wanne-Eickel eine neue Existenz aufgebaut. Ich habe ein Haus, eine Villa, wenn Sie es genau wissen wollen. Ich brauche dieses Haus hier nicht, zumal ich eine Abfindung von meinem Staat, der ja jetzt auch Ihr Staat ist, bekommen habe. Ich habe mich nie um dieses Haus gekümmert, ich habe es verfallen lassen. Glauben Sie mir, ich habe mich oft geschämt. Ich möchte es wiedergutmachen.

Der Bürgermeister hatte die Hand am Brillenbügel, und er wußte nicht, ob er die Brille absetzen oder aufbehalten sollte.

Soll das heißen?

Nein, sagte ich, das soll es nicht heißen. Herr Schlehwein hat sich strafbar gemacht, er hat seinen Besitzanspruch verwirkt durch seine anarchistische Tat, und außerdem ist er außer Landes und braucht das Haus nicht mehr, und falls er je zurückkommt, wird er gewiß, wie Sie in Ihrer Rechtsbeflissenheit wohl einräumen werden, ganz woanders untergebracht. Um es kurz zu machen, ich möchte, daß aus meinem Haus ein Kindergarten wird. Ich möchte ein Zeichen setzen.

Ich war sehr bewegt. Ich hatte, glaube ich, sogar Tränen in den Augen. Kristina hätte auch Tränen in den Augen gehabt.

Ich weiß, sagte ich mit halb erstickter Stimme, viele meiner Landsleute führen sich hier auf wie die Kolonialherren. Ich aber möchte die Teilung überwinden durch Teilen. Betrachten Sie das bitte als meinen persönlichen Beitrag zum Zusammenwachsen der deutschen Einheit.

Sagte ich. Erhob mich dann. Gab dem bestürzten Bürgermeister die Hand. Ließ den Bürgermeister zurück mit seiner randlosen Brille. Nickte der schwammigen Blondine aufmunternd zu. Eilte die Dorfstraße entlang. Erreichte atemlos Schlehweins Gehöft. Sperrte die Giraffe in den Anhänger. Fuhr rasch davon. Dachte an Kristina, die in München ist, verdammt. Geriet auf der Landstraße in die Schafherde. Wollte anhalten. Wollte dem Schäfer sagen, daß er das Kriegerdenkmal auf dem Dorfplatz abreißen solle und Schlehwein auf den Sockel stellen. Sagte nichts. Hielt nicht einmal an. Fuhr weiter. Dachte an Kristina.

Eigentlich habe ich die ganze Zeit nur an Kristina gedacht.

XXI

ALS WIR ZURÜCKKAMEN, WAR ICH DRAUF UND DRAN, ONKEL ALFRED ANZURUFEN, aber ich unterließ es dann doch. Ich gehe unruhig im Zimmer auf und ab, und ich frage mich, warum Kristina eigentlich weggegangen ist, als hätte ich mich das noch niemals gefragt.

Wegen Lydia? Was meinst du?

Die Giraffe liegt hingestreckt in der Ecke, erschöpft von den Strapazen der Reise, aber dennoch gelöst, beinahe glücklich.

Es war keine Liebe mit Lydia, sage ich. Gutgut, ich habe mit ihr geschlafen, aber es war keine Liebe. Es war ja, als alles aus den Fugen ging, auf einmal alles anders, und es war plötzlich alles möglich, aber ich rede schon, als sei das hundert Jahre her, und außerdem war ja Lydia eigentlich in Amerika bei ihrer Tante, obwohl sie gar keine Tante in Amerika hat, es war alles sehr verrückt und verworren.

Die Giraffe sieht mich aus blöden Augen an.

Gut, sage ich, es war zur gleichen Zeit. Das mit Kristina und das mit Lydia. Oder fast zur gleichen Zeit. Es ist natürlich immer etwas problematisch, wenn man mit zwei Frauen zur gleichen Zeit schläft. Oder fast zur gleichen Zeit. Auch wenn die eine von der anderen nichts weiß, zumindest am Anfang. Es wäre ja nie dazu gekommen, wenn Kristina mit hierhergegangen wäre, in die Wohnung, in der wir mehrere Jahre, als wir noch verheiratet waren, gelebt hatten. Aber sie wollte es nicht. Sie ging mit mir auch nicht in ihre Mansardenwohnung. Wir liebten uns in Autos oder in den märkischen Wäldern, auch wenn es sehr unbequem war, oder in fremden Wohnungen. Wenn sie mit mir in ihre oder unsere alte Wohnung gegangen wäre, dann wäre sie sich wieder verheiratet vorgekommen. Und das wollte sie auf keinen Fall. Anders Lydia. Sie wußte nicht, daß ich wieder mit Kristina zusammen war. Sie konnte es auch nicht wissen, denn ich habe es ihr nicht gesagt, zumindest am Anfang nicht, und sie hat ja Kristina nie in der Wohnung gesehen, und überhaupt hatte, als das mit Lydia anfing, das mit Kristina noch nicht angefangen, und später, als ich es ihr sagte, hat es ihr nichts ausgemacht, hat sie gesagt, aber es ist ja auch nicht so gewesen, daß ich es mit Kristina auf der Parkbank getrieben habe und dann zu Lydia ins Bett gekrochen bin und es mit ihr getrieben habe. Es war alles viel komplizierter, sowohl zeitlich als auch örtlich und psychisch sowie physisch sowieso, geht das in dein Giraffenhirn?

Die Giraffe hört nicht zu. Es hört überhaupt niemand mehr zu. Ich erzähle es trotzdem, denn es gehört dazu, ich kann nicht vor mir davonlaufen, ich will das nicht verdrängen, ich muß mir klar darüber werden, ich bin nicht nur Opfer, ich bin auch Täter, Triebopfer und Triebtäter, wenn du so willst. Dabei, es war alles ganz harmlos am Anfang. Ich tat ihr einfach leid. Lydia, meine ich. Sie kam, um mir die Fenster zu putzen, denn ich konnte kaum noch durch die Scheiben sehen, und sie wußte, daß mir von allen häuslichen Arbeiten nichts verhaßter war. Es war ein Freundschaftsdienst. Auch meinerseits, wenn ich das mal so sagen darf. Denn in Wirklichkeit tat sie mir leid, mehr als ich ihr leidtun konnte. Wie du weißt, mache ich mir nichts aus jungen Frauen, zumindest wenn der Altersunterschied allzu groß ist, allzu kraß. Ich weiß nicht, was ich mit ihnen reden soll. Und ich muß immer reden dabei. Oder zumindest davor oder danach, sonst ist es langweilig auf die Dauer, es ist auch etwas animalisch, aber ich will dir als Tier nicht zu nahetreten. Mit Kristina jedenfalls konnte ich wunderbar reden, sie ist auch nur vier Jahre jünger als ich. Ich hatte viel Spaß mit ihr, auch in sprachlicher Hinsicht, wenn ich allein an Wortschöpfungen denke wie Schamlippenstift oder Kaugummischutz. Lydia dagegen ist fünfzehn Jahre jünger als ich, das ist ja schon eine andere Generation. Aber Lydia und ihr Professor erst, das muß ja die Hölle gewesen sein, das sind gut zwei Generationen. Nein, ich habe Bröckle nie verstanden, das muß ja ein wahnsinniger Streß gewesen sein, doch vielleicht litt er unter Minderwertigkeitskomplexen, oder er sträubte sich, alt zu werden. Wenn er mit ihr ins Theater ging, dann wirkte sie wie seine Enkelin, so sah sie auf zu ihm, und alles nur, weil er alles wußte über die Revolution. Aber dann auf einmal, als die Revolution kam, die keine Revolution war, wie

Bröckle meinte, konnte sie nicht mehr aufsehen zu ihm. Sie hatte sich so gefreut, daß die Leute auf die Straße gingen, sie war selber auf die Straße gegangen, und sie hatte Kerzen angezündet vor den Kirchen, und Bröckle hatte sie in einem fort belehrt mit seinen grämlichen Theorien. Da hat sie es nicht mehr ausgehalten. Denn Bröckle war nicht nur ein alter Mann, Bröckle war schon ein toter Mann, er wußte es bloß noch nicht. Er wollte den Sozialismus retten, er wollte die Partei reformieren, er wollte das Parteivermögen retten und die Denkmäler und die MEGA und das Neue Deutschland und den Palast der Republik, er war nicht zu retten. Und da kam sie zu mir gelaufen. Ich sollte saubere Fenster haben. Ich sollte mich nicht mehr grämen, daß sich Kristina herumtrieb mit diesem zweitklassigen Dichter, der sich nicht einmal in die Gethsemanekirche traute. Und während Bröckle rettete und reformierte, stand Lydia auf der Trittleiter und rieb mit dem Fensterleder die Scheiben blank, und sie hatte eine geblümte Kittelschütze an, und als ich ihr den Wassereimer hochreichte und zu ihr aufsah, hatte sie auf einmal nichts unter ihrer Kittelschürze, keine Hose, keinen Slip, nichts. Daß sie von der Leiter fiel und sich das Bein brach, war irgendwie logisch. Ich weiß nicht, wie ich es dir erklären soll. Es war zwangsläufig. Sie wollte nicht mehr. Sie wollte nicht mehr laufen. Sie wußte nicht wohin. Es war psychosomatisch. Es war, falls es so etwas gibt, ein psychosomatischer Beinbruch. Aber im Krankenhaus brauchte sie nur eine Woche zu bleiben, dann ließ sie sich von den Pflegern zu mir karren, ich konnte es nicht verhindern. Ich konnte auch nicht verhindern, daß sie in dem großen Bett mit den Messingverstrebungen schlief, das Kristina mir gelassen hatte. Ich schlief neben ihr. Ich konnte doch nicht auf dem Fußboden schlafen. Sie war ausgehungert. Sie war wie von Sinnen. Der Gips brach mehrmals und mußte immer wieder erneuert werden. Es war tierisch, wir redeten nicht dabei. Manchmal schämte ich mich, aber erst nach dem Orgasmus, ich will ehrlich sein. Ich konnte nicht mehr aufsehen zu mir. Der arme Bröckle. Aber Lydia schämte sich überhaupt nicht. Schließlich brachte ich sie dazu, Bröckle wenigstens ein Lebenszeichen zu geben. Sie rief aus Amerika an. Sie sei bei ihrer Tante. Man könne ja jetzt frei reisen. Sie habe die erste beste Chance genutzt, er müsse das verstehen, er habe ja genug zu tun mit seiner Partei und ihrer Erneuerung. Es gehe ihr gut, ja. Paß auf dich auf. Nein, keine Nummer. Meine Tante hat kein Telefon, ich rufe von der Post in der neunzehnten Straße an, bei uns ist es jetzt um sieben, und wie spät ist es bei euch? Ich habe dir nie erzählt, daß ich eine Tante in New York habe, ich wollte dir keine Scherereien machen wegen der Westkontakte, weil du doch ein Geheimnisträger bist, ich habe dir nie erzählt, ich sage, ich habe es dir nie erzählt, hörst du noch, ich muß jetzt Schluß machen, so reich ist meine Tante auch nicht, bleib gesund.

Lydia legte auf und weinte. Wir haben uns danach sieben Tage nicht angerührt. Wir lagen nebeneinander in dem riesigen, geräumigen Bett und starrten an die Decke. Ob Lydia, als sie aus Amerika zurückkam, Bröckle erzählte, daß sie gar nicht in Amerika war, weiß ich nicht. Ich glaube nicht. Aber als sie wieder richtig laufen konnte, ist sie zu Bröckle zurückgegangen. Da war viel Zeit verstrichen. Da war schon längst die Mauer weg. Da war schon längst das Brandenburger Tor auf. Da hatten wir schon mehrere Regierungen hinter uns. Da hatten wir schon das harte, harte Geld in der Hand. Da waren wir schon wie Fremde im eigenen Land und hatten nichts mehr zu melden. Mit einem Bein lebten wir noch im alten Leben und mit dem anderen schon im neuen.

Ich habe Lydia noch ein Stück begleitet. Sie hinkte noch ein wenig. Wir alle hinkten noch ein wenig.

Ich werde ihm sagen, er soll keine Fragen stellen, sagte Lydia, er soll mir niemals Fragen stellen, denn wenn er fragt, werde ich für immer von ihm weggehen.

Da Lydia nicht von ihm weggegangen ist, wird er keine Fragen gestellt haben.

Kristina aber ist weggegangen. Wenngleich viel später, als alles längst vorbei war. Arglos hatte ich ihr alles erzählt. Da hatten wir schon wieder eine neue Regierung. Da hatten wir schon die deutsche Einheit. Da hatte ich schon keine Arbeit mehr. Sie konnte es nicht fassen, sie war verstört.

Du hast, sagte sie, die ganze Zeit über, als wir zusammen waren, sie in der Wohnung gehabt, in unserem Bett, als wir bei den anderen die Blumen gegossen haben, als wir im Wald waren, als wir auf den Demonstrationen waren, als wir so glücklich waren, wie wir es noch nie gewesen sind, da hast du sie in unserem Bett gehabt?

Sie hat sich das Bein gebrochen, habe ich gesagt, und das eine hat mit dem anderen nichts zu tun.

Lange Zeit sagte sie nichts, sie schüttelte nur den Kopf, und dann sagte sie auf einmal: Sag mir eines, sag mir, hast du sie gevögelt oder hast du sie gebumst oder hast du sie gefickt?

Ich sah sie an. Sie war sehr wütend, und sie konnte, wenn sie wütend war, ziemlich ordinär sein.

Du mußt das verstehen, sagte ich, und das eine hat mit dem anderen nichts zu tun.

Was soll das heißen, das eine hat mit dem anderen nichts zu tun?

Sie konnte nicht mehr weiter, sagte ich, und sie hat sich das Bein gebrochen, verstehst du?

Kristina verstand nicht. Sie fragte bloß immer wieder, ob ich Lydia gebumst, gevögelt oder gefickt hätte. Ich sah da keinen allzu großen Unterschied.

Du siehst da keinen Unterschied?

Dann erklär mir doch den Unterschied.

Ich? Ich soll dir den Unterschied erklären? Ich? Dir? Den Unterschied? Was für einen Unterschied?

Kristina!

Ja?

Was willst du denn mit dem Koffer?

Mit dem Koffer?

Was willst du mit dem Koffer? Wo willst du denn hin?

Ich?

Sie warf ein paar Sachen in den Koffer. Und dann klappte sie den Koffer zu und ergriff den

Koffer und ging zur Tür mit dem Koffer. Und an der Tür drehte sie sich noch einmal um und fragte wieder, ob ich Lydia gebumst oder gevögelt oder gefickt hätte. Und ich konnte wieder nichts sagen. Und da ist sie gegangen, hörst du? Da ist sie gegangen. Und ich stand da. Ich stehe eigentlich immer noch da.

XXII

ICH BIN VERBITTERT, DIE GIRAFFE IST WIEDER EINGESCHLAFEN. Ich weiß nicht, was ich noch erzählen soll. Es hat keinen Zweck. Ich weiß nicht, wie ich sie aus der Reserve locken kann oder wenigstens ihre Aufmerksamkeit erregen, denn das wäre ja wohl das mindeste, und etwas Entgegenkommen kann ich ja doch von ihr erwarten, denn schließlich bin ich es, der sie von seiner nicht eben üppigen Arbeitslosenunterstützung ernährt. Aber wahrscheinlich ist die Giraffe ebenso unintelligent wie sie undankbar ist. Gemeinhin überschätzen wir die großen Tiere.

Ich bin dann zu Bröckles gegangen. Er war nicht da. Er habe dringend weggemußt. Er habe etwas holen wollen, Lydia wußte nicht, was. Er sei sehr aufgeregt gewesen. Er habe sogar eine Krawatte umgebunden. Er sei ganz aus dem Häuschen gewesen.

Lydia hat mir wieder von Beyers Sauerkraut angeboten, denn das Faß war noch halbvoll, aber ich wollte wieder kein Sauerkraut. Ich wollte nur ein bißchen reden. Ich wollte alles loswerden. Daß Schlehwein gekokelt hat. Und wie ich für kurze Zeit Dr. Weißbach aus Wanne-Eickel war. Und daß Kristina wahrscheinlich an den Münchner Kammerspielen spielt, weil Onkel Alfred ein einflußreicher Mann ist. Und daß ich nicht weiß, wie das weitergehen soll mit der Giraffe, zumal ich noch immer nichts habe in Erfahrung bringen können über ihre Vergangenheit. Es kann nicht ewig so weitergehen. Es wächst mir alles über den Kopf, sagte ich. Aber als ich sagte, daß mir auch die Giraffe über den Kopf wächst, lachte sie nicht. Sie wollte auch nicht reden. Sie sah immer noch jung aus, allerdings erschien sie mir ein wenig verhärmt, der Gulaschkanonenverleih lief offenbar schlecht. Aber dafür hatte Bröckle bei einem Kreuzworträtselwettbewerb einer Rasenkantenmäherfirma, bei dem die Anfangsbuchstaben der waagerechten Lösungswörter aneinandergereiht den Namen der Rasenkantenmäherfirma ergeben sollten, einen Rasenkantenmäher gewonnen. Dabei hatten Bröckles schon zwei Rasenkantenmäher. Es wäre vielleicht das beste, schlug ich vor, sie würden einen Rasenkantenmäherverleih aufziehen. Lydia verzog gequält den Mund. Obwohl ich selbst in keiner heiteren Verfassung war, versuchte ich sie aufzumuntern.

Bröckle ist ein Glückspilz, sagte ich.

Ja, sagte sie, ein Glückspilz, er spielt, er gewinnt, er geht sonntags zum Pferderennen und einmal ist er mit fünfzig Mark weggegangen und ist mit hundert Mark zurückgekommen, und da hat er gestrahlt wie ein kleines Kind, ein Mann dieses Alters und dieser Geistesgaben, ein Professor, du mußt dir das auf der Zunge zergehen lassen.

Und weiß alles über die Revolution, ergänzte ich.

Sie seufzte, und dann ging sie hinaus. Und dann kam sie wieder herein. Und sie hatte auf einmal Strapse an. Schwarze Strapse.

Wie findest du meine Strapse?

Schön, sagte ich.

Hab ich gekauft.

Nicht gewonnen?

Nein, sagte sie. Gekauft. Es gibt ja jetzt alles zu kaufen.

Und? Hat's dir was genützt?

Sie fing auf einmal an, vor mir herumzutanzen. Sie hat sehr schöne Beine, das sah ich erst jetzt.

Hör auf, sagte ich.

Aber sie hörte nicht auf, sie tanzte weiter herum, und daß sie je sich ein Bein gebrochen hat, war ihr nicht anzumerken. Dann setzte sie sich mir auf den Schoß. Ich blieb ganz still, ich rührte mich nicht, ich regte mich nicht.

Was ist denn?

Nichts, sagte ich, es ist nichts. Mir war der Mund sehr trocken. Ich sagte leise: Ich kann nicht.

Da lachte sie schrill auf. Da stand sie auf von mir. Da sah sie auf mich herab.

Ich hatte das Gefühl, daß ich noch etwas sagen müßte. Ich sagte: Ich bin, glaube ich, doch monogam, irgendwie, glaube ich.

Ich wollte gehen. Ich wollte rasch gehen. Aber da kam auf einmal Bröckle. Er war sehr fröhlich. Er pfiff vergnügt. Auch war er etwas angetrunken. Daß Lydia in ihren schwarzen Strapsen vor mir stand, schien ihm nichts weiter auszumachen. Er deutete neckisch mit dem Zeigefinger auf sie und lachte auf, das war alles. Und dann packte er aus.

Er hatte überall Geld, in den Hosentaschen, in den Jackentaschen, in seinem Diplomatenkoffer. Es waren lauter große Scheine. Er legte sie auf den Tisch, er stapelte sie. Insgesamt waren es zweihundertfünfzigtausend Mark. Ich hatte noch nie so viel Geld auf einmal gesehen, Bröckle und Lydia vermutlich auch nicht.

Nordwestdeutsche Klassenlotterie, sagte er.

Ich denke, du hast Südwestdeutsche gespielt, warf Lydia ein.

Ich habe auch Nordwestdeutsche gespielt. Südwestdeutsche und Nordwestdeutsche.

Bröckles Lachen war grimmig und etwas theatralisch. Ich habe dieses theatralische Lachen nie gemocht, auch auf der Bühne nicht, aber als Bröckle einen Sektkorken nach dem anderen an die Decke springen ließ, hat es mich nicht weiter gestört, und ich habe nicht länger darüber nachgedacht. Wir tranken Glas um Glas, und Lydia hatte noch immer die schwarzen Strapse an.

Zieh dir ruhig was über, sagte Bröckle gütig und tätschelte ihr den Hintern, damit du nicht frierst.

Ich friere nicht, sagte Lydia.

Bröckle zählte das Geld immer wieder nach, und dann rückte er heraus mit seinen Plänen. Er wollte das herrenlose, zweistöckige Haus kaufen, das vor ihrem Gartenhäuschen stand. Es war einmal eine Kneipe, und es würde wieder eine Kneipe sein.

Er ging mit der Taschenlampe voran. Die Theke stand noch immer, es waren sogar noch die alten, leeren Bierfässer da. Er würde das alles sanieren. Er würde das alles aufbauen und schönmachen. Und wir würden die Kneipe gemeinsam betreiben, alle. Bröckle umarmte mich. Es wären dann wieder alle beisammen, und es würde wie früher sein, und wir würden über die alten Zeiten reden. Es wäre dann Arbeit für alle da, neue, schöne Aufgaben, und die armen Hasselblatts kämen dann endlich aus ihrer armseligen Würstchenbude heraus, und der arme Kleingrube komme vielleicht auch auf andere Gedanken und brauche nicht länger in seinen alten Akten zu wühlen, der wird sowieso noch verrückt, der will uns allen noch was beweisen und anhängen, der könne sich dann nach vorn orientieren, auf die Zukunft hin wie wir alle, Sinologen, Geologen, Meteorologen, Archäologen, Archivare und Bibliothekare, die jetzt stellungslos sind. Denn so eine Kneipe werfe für alle was ab.

Ja, sagte ich, an die zwanzig dreißig Kellner und Köche werden wir dann schon sein, und wir kochen dann gegenseitig für uns und bedienen uns gegenseitig.

Miesmacher, sagte Bröckle.

Da saßen wir schon wieder im Gartenhaus, und Lydia fing dann doch an zu frieren und zog sich etwas über.

Miesmacher, sagte er noch einmal, aber ein Miesmacher warst du immer, man muß jetzt nach vorn sehen und alles auf eine Karte setzen.

Ich nickte. Auch Lydia nickte. Wir nickten alle. Und später hatte ich dann noch eine gute Idee. Man könne die Kneipe Zur Giraffe nennen. Eine Giraffe sei immerhin eine seltene, ungewöhnliche Attraktion und könne vielleicht Gäste anlocken, die ja für eine florierende Gaststätte schließlich auch gebraucht werden. Ich würde die Giraffe gern zur Verfügung stellen. Denn so wäre ich sie endlich wieder los. Aber Bröckles wollten davon nichts wissen. Ich war verstimmt.

Dennoch schieden wir fröhlich und in gutem Einvernehmen und sehr betrunken.

Hier könnte ich eigentlich aufhören, es wäre ein so schönes Happy-End. Wenigstens einer von uns hatte es geschafft. Und dieser eine zählte noch einmal das Geld nach, das auf dem Tisch lag. Es waren wirklich zweihundertfünfzigtausend Mark.

Seht ihr, sagte Bröckle, die deutsche Einheit hat auch ihr Gutes. Seine Augen tränten, es kann auch am Sekt gelegen haben.

Hier könnte ich wirklich aufhören.

XXIII

ABER ICH KANN NICHT AUFHÖREN. Kleingrube ist gekommen. Gestern. Unverhofft. Aber eigentlich hatte ich ihn seit langem erwartet. Er kam nicht nur, er kam auch gleich zur Sache. Kaum hatten wir uns in der Küche niedergelassen, zog er aus seinem schwarzen Diplomatenkoffer, der voller Schriftstücke war, einen Zeitungsausschnitt heraus und reichte ihn mir.

Na, sagte er, habe ich es nicht gesagt? Habe ich es nicht gesagt?

Mit seiner krächzenden Stimme erschien er mir noch rabenhafter als sonst.

Ich sah mir das Bild lange und aufmerksam an. Zu sehen war eine Giraffe, die ihren Kopf herunterbeugte zu den Zuschauern in einem Zirkuszelt. Es handelte sich um eine giraffa camelopardis camelopardis reticulata, wie sie in den afrikanischen Savannen vorkommen, ich erkannte es an der Art, wie das Fell gefleckt war.

Sieh ruhig richtig hin, krächzte Kleingrube und reichte mir die Lupe, sieh ruhig richtig hin.

Ich sah ruhig richtig hin, und ich erkannte, daß die Giraffe einem alten Mann die Hände leckte, und dieser alte Mann nun wieder war kein Geringerer als der Generalsekretär der Sozialistischen Einheitspartei Deutschlands und Vorsitzende des Staatsrats der Deutschen Demokratischen Republik, dessen Namen ich hier nicht nennen möchte.

Das ist ja, sagte ich so empört, wie ich konnte.

Ja, krächzte Kleingrube. Er triumphierte. Er hatte es gleich gesagt. Er hatte es geahnt. Er hatte es gerochen. Und dann hatte er gesucht und gesucht und hatte das Bild, das er schon einmal gesehen haben mußte, schließlich gefunden in seinen Archiven. Er war fündig geworden, fündig. Ich habe selten einen Menschen so triumphieren sehen. Er lachte irre. Dabei war er noch keine sechs Monate arbeitslos. Er tat mir leid.

Ich fragte ihn, ob er Videoaufzeichnungen oder Tondokumente von der Zirkusveranstaltung habe. Er hatte keine.

Dieses Bild genügt, rief er, dieses Bild genügt.

Ich fragte ihn, wofür es genüge, aber er äußerte sich nicht darüber, obwohl er hektisch und ohne Unterlaß redete und alles zweimal sagte.

Es ist ein schlagender Beweis, sagte er, ein schlagender Beweis.

Und?

Was und?

Was hast du vor?

Was ich vorhabe? Nichts, sagte Kleingrube. Nichts habe ich vor.

Dann verstehe ich nicht, warum du mir das Bild gezeigt hast.

Du verstehst nicht, warum ich dir das Bild gezeigt habe?

Nein, sagte ich, und ich verstand es wirklich

nicht. Es ging dann immer hin und her, und Kleingrube fragte immer zurück, wenn ich etwas fragte, und er sagte alles zweimal, als wäre ich taub oder begriffsstutzig, aber vielleicht ist er zuviel allein und ist es nicht mehr gewöhnt zu reden, weil er keine Antwort bekommt, aber mir geht es auch nicht viel anders, ich schreibe ja auch schon alles zweimal, zum Beispiel, daß Kleingrube alles zweimal sagt.

Willst du mir etwas beweisen, fragte ich.

Beweisen? Ich will nichts beweisen. Es ist bewiesen. Es ist alles bewiesen.

Was ist bewiesen?

Es ist alles bewiesen, sagte Kleingrube, und er sagte es so entschieden und so überzeugt, daß er es nicht zum zweitenmal zweimal sagen mußte.

Was ist bewiesen, fragte ich noch einmal. Daß die Giraffe sich schuldig gemacht hat, weil sie dem Generalsekretär der Sozialistischen Einheitspartei Deutschlands und Vorsitzenden des Staatsrats der Deutschen Demokratischen Republik Würfelzucker aus der Hand gefressen hat?

Würfelzucker? Wieso denn Würfelzucker?

Würfelzucker, rief ich, und ich wurde immer wütender. Das ist in jedem Zirkus der Welt so! Nach den Darbietungen gibt es für die Tiere Würfelzucker!

Darauf warf mir Kleingrube vor, daß ich die Giraffe in Schutz und überhaupt alles auf die leichte Schulter nähme. Sie habe keine reine Weste. Ich hätte auch keine reine Weste. Niemand habe eine reine Weste. Niemand, hörst du, niemand!

Außer dir und Schlehwein!

Schlehwein? Da konnte Kleingrube nur lachen. Schlehwein hat die Giraffe verborgen und geschützt und gedeckt, obwohl er das doch alles hat wissen müssen oder zumindest alles hat wissen können, hat er sie verborgen und geschützt und gedeckt. Er ist genauso wie alle.

Ja, sagte ich, wie die Fleischer und wie die Bäcker, die die Brötchen gebacken haben, um das System zu stabilisieren und zu verlängern, und wie die Kindergärtnerinnen, die neue Untertanen herangezüchtet haben, und wie die Sekundärrohstoffhändler. Aber du bist der einzige Gerechte, ja? Du hast nie beim Morgenappell Lieder gesungen, Kleingrube? Du warst nie auf einer Maifeier, Kleingrube, und sei es auch nur, damit deine Vorgesetzten sehen, daß du auf der Maifeier bist?

Ich bebte vor Zorn, ich konnte kaum noch an mich halten.

Begreifst du nicht, rief Kleingrube, ich habe meine Arbeit verloren, ich habe meine Arbeit geliebt, sie haben mich hinausgeworfen, und die mich hinausgeworfen haben, sind die gleichen, die mich vorher gequält und geschurigelt haben, es sind nicht nur die gleichen, es sind sogar dieselben, und sie sitzen mit ihren fetten Ärschen auf ihren alten Stühlen, und sie machen gemeinsame Sache mit ihren alten Todfeinden, mit dem Klassenfeind, und wenn nicht, dann machen sie wenigstens Geschäfte mit ihm, denn sie haben sich noch rechtzeitig Geld aus den Kassen genommen, um ein Geschäft aufzumachen, und ich weiß nicht, wie ich morgen die Miete bezahlen soll, die Miete und die Kohlen, begreifst du das nicht?

Und was hat die Giraffe damit zu tun?

Nichts, sagte Kleingrube, nichts. Er saß klein und zusammengesunken da, wie ein alter Mann, mir war zum Heulen zumute. Und da habe ich auf einmal die Küchentür aufgerissen. Und da hat sie dagestanden, die Giraffe, den langen Hals heruntergebeugt, den Kopf bis in die Höhe des Schlüssellochs. Sie hatte die ganze Zeit über gehorcht, es war unverkennbar.

Du hast also gehorcht, sagte ich, dann weißt du ja alles schon, aber du weißt noch nicht alles, und ich hielt ihr das Zeitungsbild hin, triumphierend, wie Kleingrube es mir hingehalten hatte, bist du das oder bist du das nicht, du kannst doch reden, du kannst doch noch mehr als dieses Seiße und dieses Okay, was dir die Wärter beigebracht haben, und dieses ewige, ewige Konolialismus, was dir Schlehwein beigebracht hat, der dich mir angedreht hat, aufgehalst hat, aufgebürdet hat, du Altlast du, du alte Seilschaft, du hast doch mit ihnen unter einer Decke gesteckt, du hast doch getanzt für sie, du bist vor ihnen herumgetänzelt, mal im Paßgang und mal im Gleichschritt, und hast den Hals hochgereckt und hast in die Zirkuskuppel hinaufgeröhrt, denn du kannst doch reden, du kannst doch nicht nur Okay und Seiße und Konolialismus, warum hast du denn nie was gesagt, wenn ich dir meine Geschichten erzählt habe, und ich füttere dich hier durch von meinen paar Arbeitslosenpiepen, du hast für ein paar Stück Würfelzucker und für ein paar andere Privilegien wie einen etwas größeren Käfig und ein paar Reisen unter Aufsicht, hast du in die Kuppel hinauf, zum

Jubel des ganzen Zelts und zu den nicht endenwollenden Ovationen hinaufgetönt, es lebe, wie du das gehört hast von dem alten Mann in der ersten Reihe oder wie es dir die Wärter, die Dompteure, die Dresseure eingebleut haben, und auch noch in seiner Diktion, in seiner stimmversiegenden, abgehackten, holprigen, atemlosen, schütteren Sprechweise, es lebe die dtsch demkrtsch Rupli, hast du oder hast du nicht, und bist auf die Knie gesunken wie eine huldigende Diva, beifallsumtost, und hast dich wieder hochgerappelt und hast dein stolzes Haupt, in dem nichts ist als Stroh und sieben, acht Wörter, heruntergebeugt und hast ihm mit deiner langen Zunge die Hände geleckt, daß seine Bewacher schon unruhig wurden, so war es doch oder, oder nicht, ich weiß es, ich weiß alles. Rief ich, schrie ich, denn ich war so voller Wut, auf die Giraffe und auf Kleingrube und auf mich, weil Kleingrube mich dazu gebracht hatte, die Giraffe zur Sau zu machen und zur Schnecke zu machen, habe ich Kleingrubes Wut, die auch meine Wut war, an ihr ausgelassen und habe mich geschämt dafür, vor der Giraffe und vor Kleingrube und vor mir selber und alles zur gleichen Zeit. Und dann habe ich, sachte, die Küchentür wieder zugemacht. Und Kleingrube hat noch immer dagesessen, kläglich auf dem Küchenstuhl, erschlafft und in sich zusammengesunken.

Genügt das, habe ich gefragt, ist dir jetzt besser?

Da ist Kleingrube aufgestanden und ist hinausgegangen und ist weggegangen. Noch einmal habe ich mir das Zeitungsfoto angesehen und habe durch die Lupe, die Kleingrube vergessen hatte, hindurchgeschaut und habe die Gesichter der Leute im Zirkusoval betrachtet. Einen kannte ich, einen habe ich wiedererkannt in der Reihe der jungen, kräftigen Bewacher. Es war kein Geringerer als der Postbote.

Dann habe ich die Küchentür wieder aufgemacht. Und ich habe das Zeitungsfoto zusammengeknüllt und habe das Papierknäuel in das Zimmer geworfen. Und die Giraffe hat es aufgefressen.

Hier könnte ich jetzt wirklich aufhören, obwohl es auch kein richtiger schöner Schluß ist, denn ich habe alles gesagt, und ich habe keine Lust mehr.

XXIV

ABER ICH HABE DIE WÖRTER NOCH, DIE ICH GESAMMELT HABE. Die Wörter, die neu entstanden sind. Die Wörter, die einen neuen Sinn bekommen haben. Und die Wörter, die jetzt häufig benutzt werden. Blockflöte, Begrüßungsgeld, Wahlfälscher, Mahnwache, Seilschaft, Mauerspecht, Altlast, Devisenbeschaffer, flächendeckend, Talsohle, Warteschleife, plattwalzen, Arbeitsbeschaffungsmaßnahme, Schnäppchen, Evaluierung, runder Tisch, unterpflügen, überführen, überstülpen, Wohngeld, Schnupperpreis, sich rechnen, Superossi, Verbraucherzentrale, abschmelzen, Filetstück, Koko-Imperium.

Ich habe sie gesammelt, und ich habe sie alphabetisch geordnet. Aber ich brauche sie nicht. Ich kann damit nichts anfangen.

Da ist mir eine Idee gekommen. Ich könnte sie weggeben, die Wörter. Ich könnte sie einem Schriftsteller geben. Ich könnte sie Ralph B. Schneiderheinze geben, denn er ist der einzige Schriftsteller, den ich persönlich kenne. Aber was heißt persönlich kennen, er ist einmal von der Giraffe mit mir verwechselt worden, und er hat ein paarmal mit meiner Frau geschlafen, das ist alles.

Es traf sich günstig, daß eine öffentliche Lesung mit Ralph B. Schneiderheinze anberaumt war. Ich ging in das Kulturhaus. Der Eintritt war frei, und der Saal war sehr groß. Da ich der einzige Zuhörer war, zog man um in einen kleineren Saal. Aber auch der kleinere Saal war noch zu groß, so daß es ratsam gewesen wäre, in einen noch kleineren Saal umzuziehen, doch es war schon halb acht.

Die Veranstaltung begann pünktlich, und sie wurde moderiert von einem gewissen Egon Mittelhuber-Kuschke, eben jenem Literaturkritiker, dem ich vor etlichen Jahren auf einer Party begegnet war und der, da er mich mit Schneiderheinze verwechselte, behauptet hatte, ich hätte einen großartigen Roman geschrieben, auch wenn er, der Roman nämlich, nicht frei sei von gewissen defätistisch-grämlichen und pessimistisch-düsteren Zügen. Mittelhuber-Kuschke erkannte mich nicht wieder, die Wiedersehensfreude war ganz auf meiner Seite. Dennoch will mir im nachhinein scheinen, der Kritikus sei etwas irritiert gewesen, da sein etwas unsteter Blick zwischen Schneiderheinze und mir hin- und herwanderte, denn unsere Ähnlichkeit war noch immer unverkennbar.

Ich hatte mich in die elfte Reihe gesetzt, und von Mittelhuber-Kuschke abgesehen, las Schneiderheinze allein für mich. Er las aus einem neuen Werk. Es war ein Märchen, und es handelte von einem älteren, etwas angefetteten Prinzen und einem jungen Mädchen aus dem Volk. Er war sehr begütert und lebte auf großem Fuße, hatte aber, wählerisch und verwöhnt wie er war, nie die rechte Frau finden können. Da sah er eines Tages, mitten im Walde, jenes schöne Mädchen, und sie war mutterseelenallein. Ohne zu zögern, verliebte er sich in sie, er sagte es zumindest. Und die Gelegenheit war günstig. Es würde nie wieder eine so günstige Gelegenheit kommen. Willst du meine Frau werden, fragte er. Aber wir kennen uns doch gar nicht, erwiderte sie schüchtern. Du wirst mich schon kennenlernen, sprach er forsch, und er zeigte ihr alle seine Schlösser, und er schenkte ihr die schönsten Glasperlen, und sie war entzückt. Sie stammte aus kleinen Verhältnissen, auch wenn sie nicht so arm war wie ihre armen Schwestern, denn sie hatte ein paar Morgen Land und ein zwar bescheidenes, aber schmuckes Häuslein und ein schmuckes Gärtlein. Alle rieten ihr zur Heirat, denn sie konnte ihre Lage nur verbessern, und nie wieder würde sich so eine Chance bieten, in hundert Jahren nicht. Meine Bedingung ist, sprach er, die Hochzeit muß schon morgen sein. Und meine Bedingung ist, sprach sie, du mußt mich lieben, du mußt mich immer lieben, und leben wollen wir so, daß wir, du und ich, das Beste und Schönste aus unserem alten Leben mit hineinnehmen in unser neues, gemeinsames Leben. Da küßte er sie, und sie hielt den Kuß für eine Zustimmung, und sie küßte ihn, und sie legte Rouge auf die Wangen, und sie zeigte ihm ihr schmuckes Häuslein und ihr schmuckes Gärtlein, das ihre ganze Freude war, und er war entzückt, er sagte es zumindest. Und die Hochzeit ward gefeiert in allem Prunk und Pomp, und die geschlechtliche Vereinigung fand in aller Stille statt. Sie weinte, sie hatte sich das alles anders vorgestellt, aber er war's zufrieden, und er deckte sie jovial mit seinem Mantel zu. Und so geschah es jede Nacht. Sie mußte alles tun, was er wollte, und er selber tat nur, was er wollte, es war die höchste Art der Selbstbefriedigung. Er nahm ihr alles, was sie hatte, er nahm ihr die Ehre, die Würde, den Stolz und die Freude, und wenn sie große Zähren weinte, nannte er sie larmoyant. Da wurde sie widerspenstig und immer widerspenstiger, und sie nannte ihn arrogant. In seinem Zorn nahm er ihr das schmucke Gärtlein und ließ es umpflügen und das schmucke Häuslein und ließ es abreißen. Und sie mußte fortan in seinen Schlössern leben und durfte nicht mehr heraus. Da grämte sie sich sehr. Und Rouge durfte sie auch nicht mehr auflegen. Und sie mußte alles so machen, wie er es wollte. Sie mußte die Speisen so kochen, wie er wollte. Sie durfte nicht mehr von früher reden, von ihrem Häuslein und ihrem Gärtlein. Wenn jemand von früher redete und von ihrem Häuslein und Gärtlein und wie es früher war, so war das er, und es war alles schlecht. Sie mußte sich kleiden, wie er wollte, und sie mußte sich auskleiden, wie er wollte. Sie mußte in allem ihm zu Willen sein, es war schon nichts mehr von ihr übrig und geblieben, und nachdem er ihr die Ehre und ihren Stolz und ihre Würde und ihre Freude und ihren Willen und ihre Erinnerung genommen hatte und ihr Gärtlein und ihr Häuslein, nahm er ihr auch noch ihre Schönheit, er fand sie häßlich. Warum hast du mich geheiratet, fragte sie, du liebst mich doch nicht. Aber er sprach: Es war eine einmalige Gelegenheit, so eine Gelegenheit gibt es in hundert Jahren nicht wieder. Aber er wollte sie, obwohl sie nicht mehr schön und nicht mehr stolz und nicht mehr fröhlich war, wollte er sie nicht mehr hergeben und nicht freigeben. Da hat sie giftige Kräuter in seinen Schlaftrunk gemischt und ein scharfes Küchenmesser sich unter das Kopfkissen gelegt und eine Schlinge für seinen Hals. Und da war der fette Prinz am nächsten Morgen tot. Dreimal tot. Und sie war frei. Sie hatte kein Gärtlein mehr und kein Häuslein, aber sie war frei und ledig. Sie kam in den Kerker und hinter Gitter, aber sie war frei. Sie war frei.

So ging das Märchen von Ralph B. Schneiderheinze. Oder so ungefähr. Denn natürlich hat es Ralph B. Schneiderheinze viel schöner erzählt, als ich es hier erzählen kann, denn er ist ein Schriftsteller, und ich habe immer nur Flaschen sortiert und Kommas gesetzt.

Nach der Lesung langes, betretenes Schweigen. Schneiderheinze schwieg, Mittelhuber-Kuschke schwieg, und ich schwieg. Es regten sich nur meine Hände zu einem kurzen Beifall. es klang etwas hallig in dem leeren Saal. Schließlich eröffnete Mittelhuber-Kuschke die Diskussion. Er forderte mich auf, Fragen zu stellen und meine Meinung zu sagen. Ich fand keine Worte. Darauf machte Mittelhuber-Kuschke mit Ralph B. Schneiderheinze eine Podiumsdiskussion. Er könne sich, sagte er, mit dem Märchen nicht anfreunden, da er mit dem Märchen nichts anfangen könne. Das Märchen sei falsch. Es sei ihm alles zu kraß und zu grell gewesen. Das Leben habe auch seine schöne Seiten, die dargestellt werden müßten, vor allem im Märchen.

Kenn ich, sagte Schneiderheinze.

Auch sei ihm, so Mittelhuber-Kuschke, alles sehr defätistisch-grämlich gewesen und sehr pessimistisch-düster.

Kenn ich, sagte Schneiderheinze. Mehr sagte er nicht.

Und was nun insonderheit das Gärtlein und das schmucke Häuslein angehe, so könne er, Mittelhuber-Kuschke, da nur lachen. Die Gärtlein und die Häuslein seien in Wirklichkeit alles andere als schmuck gewesen.

Er hatte etwas Unentwegtes an sich und stellte dann noch einige Thesen in den Raum. Man müsse den Menschen Mut machen. Das in erster Linie sei die Aufgabe der Literatur. Die Thesen blieben im Raum stehen.

Nach dem Abschluß der Diskussion bin ich zum Podium gegangen und habe Ralph B. Schneiderheinze mitfühlend die Hand gedrückt. Ich war schon drauf und dran, ihn von Kristina zu grüßen, unterließ es dann aber doch, denn wie käme ich dazu. Ich übergab ihm nur die Wörter, die ich gesammelt hatte. In einem geschlossenen Umschlag.

Fassen Sie es nicht falsch auf, sagte ich.

Dann bin ich nach Hause gegangen. Nach Hause zu meiner Giraffe, mit der ich längst wieder versöhnt bin. Sie frißt mir aus der Hand. Und ich habe gedacht, das ist das Ende.

XXV

ABER ES IST IMMER NOCH NICHT DAS ENDE, es ist alles weitergegangen. Es geht immer alles weiter.

Bröckles haben sich von dem gewonnenen Geld das baufällige, zweistöckige Vorderhaus zu ihrem kleinen, schäbigen Gartenhaus hinzugekauft und haben tatsächlich eine Kneipe eröffnet. Lydia in ihrem weißen Servierhäubchen sah sehr hübsch aus, und Bröckle stand an der Theke und ließ Bier heraus. Er trug, wie es einem richtigen Wirt zukommt, eine kurze, braune Lederschürze. Ich hatte noch nie einen Geschichtsprofessor mit einer kurzen, braunen Lederschürze gesehen. Lydia blickte auf zu ihm.

Zur Einweihungsfeier waren alle gekommen, alle Bibliothekare und Archäologen und Geologen und Lektoren und Dramaturgen, und auch Hasselblatt der Meteorologe mit seiner Sinologenfrau. Ihnen ging es, von mir abgesehen, am besten. Sie kamen mit einem Mercedes vorgefahren und waren ganz in Seide gekleidet und trugen die modernsten italienischen Brillenmodelle, das Stück für tausend Mark. Ihre Würstchenbude boomte nur so, sie hatten schon fünf davon, es war bereits eine Kette.

Nur einer war nicht erschienen, Kleingrube, der Archivar. Er soll bei der Durchsicht seiner persönlichen Unterlagen auf stark belastendes Material gestoßen sein. Nicht nur den Konfirmandenschein, über den er sich sehr freute, soll er gefunden haben, sondern auch seine Jugendweiheurkunde. Während er der Konfirmation im üblichen Alter von vierzehn teilhaftig geworden war, hatte er die Jugendweihe im Alter von achtzehn Jahren nachgeholt, um zum Abitur zugelassen zu werden. Über dieser Entdeckung soll er zusammengebrochen sein und geht seither nicht mehr aus dem Haus und scheut das Tageslicht.

In Bröckles Wirtshaus gab es nur altgewohnte, einheimische Ostbiere, Wernesgrüner, Radeberger, Köstritzer, die in alten Ostgläsern mit breiten Henkeln serviert wurden. Als ich trank, fing meine Lippe an zu bluten, denn mein Glas hatte eine Scharte. Auch die Teller waren alte Ostteller, etliche waren angeschlagen. Zur Auswahl gab es drei Speisen, Bockwurst mit Kartoffelsalat, Steak Hawaii mit Pommes frites und Goldbroiler. Dazu jeweils Schälchen mit Rohkost, bestehend aus Weißkohl und Rotkohl. Es war alles wie früher, und uns war sehr wohlig zumute. Auf den Tischen echte Kunstblumen, aus Sebnitz. An den Wänden keinerlei Werbeplakate, dafür die alten Losungen, teilweise noch im Original. Arbeite mit, plane mit, regiere mit. Jugendliche, meistert eure glückliche Zukunft. Ich leiste was, ich leiste mir was. Vorwärts zum 9. Parteitag. Höhere Leistungen in jedem Stall.

Bröckles haben die Kneipe »Zur Alten DDR« genannt. Ich hatte sie gewarnt.

Es ist noch zu früh, hatte ich gesagt.

Aber sie haben nicht auf mich hören wollen. Sie hatten mich sogar dazu bringen wollen, daß ich die Giraffe zur Einweihung dazu bringen sollte, zu vorgerückter Stunde den Kopf durch das Fenster zu stecken und die denkwürdigen Worte des Generalsekretärs der Sozialistischen Einheitspartei Deutschlands und Vorsitzenden des Staatsrats der Deutschen Demokratischen Republik hereinzurufen. Zum Glück haben wir uns darauf nicht eingelassen.

Zu vorgerückter Stunde nämlich drang ein Rudel kahlköpfiger, lederbekleideter Burschen in den Gastraum ein und riß die Losungen herunter und zerschmiß die schönen, alten Gläser und Teller und schlug alles kurz und klein. Die Polizei kam erst, als wir uns schon gegenseitig medizinisch versorgt hatten. Unter den Eindringlingen will ich auch meinen ehemaligen Briefträger erkannt haben. Aber auch danach ist alles weitergegangen.

Ich habe mir immer vorgestellt, wie es wohl wäre, wenn Kristina wiederkäme. Sie würde, habe ich gedacht, den Koffer abstellen und würde sagen: Da bin ich. Und sie würde sich in der Wohnung umsehen, um sich zu überzeugen, daß alles noch so steht, wie es immer gestanden hat. Und sie würde mich fragen, warum ich die Wohnung immer noch nicht im Maisonette-Stil eingerichtet habe. Und sie würde auch gleich wieder anfangen mit ihren verrückten Einfällen und ihren Wortspielen. Molotowcocktailparty. Volkskammermusik. Mauerfallbeil. Pantoffelheldenstadt. Bundestagelöhner. Familienbandenchef. Treuhandgreiflichkeit. Rechtsstaatstheater. Und dann wäre uns das auf die Dauer zu albern, und uns wäre nach Liebe zumute, habe ich gedacht, und wir würden uns in das große Bett mit den Messingverstrebungen legen.

Aber sie kam nicht, und sie schrieb nicht, und Schlehwein schrieb auch nicht. Es ist viel Zeit vergangen.

Und dann traf ich sie zufällig auf der Straße, nicht weit vom Alex. Sie sagte, es treffe sich gut, daß wir uns getroffen haben, denn sie wollte sowieso zu mir. Sie tat so, als wäre sie nur zwei, drei Tage weggewesen. Einen Koffer hatte sie nicht, sie hatte nur einen Pappkarton unter den Arm geklemmt. Den nahm ich ihr ab und trug ihn.

Unterwegs sagte sie: Es ist gut, daß München nicht Hauptstadt geworden ist.

München? War denn jemals die Rede davon?

Nein, nein, sagte sie, aber es ist trotzdem gut, daß München nicht Hauptstadt geworden ist.

Als wir in unsere Straße einbogen, erzählte ich ihr, daß ich jetzt eine Giraffe hätte.

Eine Giraffe? Sie lachte. Sie hielt das für einen Einfall. Für den verrücktesten Einfall, den ich je hatte. Aber als sie die Giraffe im Wohnzimmer stehen sah, rieb sie sich die Augen und staunte, wie groß die Giraffe ist, denn erst in seinen vier Wänden, wenn eine Giraffe darinnen ist, wird man gewahr, wie groß eine Giraffe ist. Daß ich die Wohnung nicht habe zweistöckig einrichten können, begriff Kristina auf Anhieb.

Und wie heißt sie?

Ich konnte mich nur verlegen am Kopf kratzen, ich hatte nie über einen Namen nachgedacht. Es, dachte ich, ist gut, daß jetzt wieder eine Frau im Hause ist. Nun wird alles in geordnete Bahnen kommen.

Als ich Kristina nach Onkel Alfred fragte und nach den Münchner Kammerspielen, packte sie lächelnd den Pappkarton aus. Den Videorecorder, der zum Vorschein kam, schlossen wir sofort an, und Kristina holte aus ihrer Umhängetasche eine Kassette heraus. Wir standen zu dritt vor der Röhre, als das Bild aufflammte.

Auf einmal war Kristina zu sehen. Sie stieg aus der Münchner Metro und blieb stehen und faßte sich an den Kopf und sagte: Irgendwas habe ich heute morgen vergessen. Schnitt. Sie saß zerstreut vor einem Computer im Büro, und wenn sie die Tasten drückte, piepte es immerzu, und sie wischte sich den Schweiß von der Stirn, und ihr Chef sagte: Irgendwas stimmt heute nicht mit Ihnen, junge Frau. Aber was, sagte Kristina verzweifelt. Schnitt. Sie saß entnervt einem Arzt gegenüber und fragte: Bin ich schwanger, Herr Doktor? Der Arzt schüttelte den Kopf. Schnitt. Kristina ging an den Regalen eines Supermarktes entlang. Plötzlich sah sie Lehmanns Frühstücksjoghurt. Sie erschrak. Dann lächelte sie und packte sich den ganzen Wagen voll mit Lehmanns Frühstücksjoghurt. Schnitt. Zu Hause löffelte sie genüßlich einen Becher aus und sagte: Lehmanns Frühstücksjoghurt. Jetzt weiß ich, was mir gefehlt hat. Lehmanns Frühstücksjoghurt gibt Kraft und gute Laune für den ganzen Tag. Schwarzbild. Ende.

Das ist alles?

Ja, das ist alles, sagte Kristina. Aber die haben

nicht schlecht gezahlt. Ich hab mir den Recorder davon gekauft.

Gut gespielt, sagte ich.

Findest du?

Ja, sagte ich, sehr gut gespielt. Wirklich.

Sie fiel mir schluchzend in die Arme, und dann haben wir uns in das große Bett mit den Messingverstrebungen gelegt. Wir mußten uns sehr leise lieben, wegen der Giraffe im Nachbarzimmer. Später hat sie dann eine Idee gehabt.

Wir könnten sie ja Schlehwein nennen, hat sie gesagt. Oder Fräulein Schlehwein. Aber wir konnten beide nicht richtig darüber lachen. Und noch später habe ich ihr erzählt, daß Schlehwein in Afrika ist. Doch das hat sie schon gewußt, sie hat ihn in einer Malerkneipe in Schwabing getroffen und hat ihm, weil der Recorder sehr preiswert war, das Flugticket bezahlt.

Und wie werden wir die Giraffe wieder los?

Überhaupt nicht, habe ich gesagt, die werden wir nie wieder los.

Dann sind wir eingeschlafen. Doch wir sind immer wieder aufgewacht, und Haut an Haut, Atem in Atem, haben wir uns überlegt, wie das alles weitergehen soll. Vielleicht könnten wir, um etwas Geld zu verdienen, mit der Giraffe zum Zirkus gehen. Vorausgesetzt, die Giraffe wird evaluiert. Den Antrag haben wir gleich am nächsten Morgen gestellt, aber es hieß, wir müßten lange warten.

Manchmal gehen wir, wenn schönes, frostklares Wetter ist, im Prenzlauer Berg spazieren, Kristina, die Giraffe und ich. Die Müllcontainer rauchen und stinken immer noch. Aber es hat frisch geschneit, und wenn wir uns umdrehen, sehen wir unsere Fußspuren und wundern uns ein wenig.

Mal sehen, wie alles weitergeht.